검은 국화

검은 국화

발　행 | 2024년 07월 31일
저　자 | 지니 · 쵸니
펴낸이 | 한건희
펴낸곳 | 주식회사 부크크
출판사등록 | 2014.07.15.(제2014-16호)
주　소 | 서울특별시 금천구 가산디지털1로 119 SK트윈타워 A동 305호
전　화 | 1670-8316
이메일 | info@bookk.co.kr

ISBN | 979-11-410-9897-1

www.bookk.co.kr

검은 국화

지니 · 쵸니 지음

차례

프롤로그

7월 28일 일요일

"방금 들어온 긴급 속보입니다. 지난 26일 새벽 1시 경 도심의 한 거리에서 살인사건이 발생했습니다. 피해자는 인근 상가 근처에서 만취해 집으로 돌아가던 20대 남성으로 확인됐습니다. 최초 신고자의 진술에 따르면 12시 47분부터 두 사람이 다투는 듯한 소리를 들었으며 한 사람은 남성의 목소리였으나 다른 한 사람의 목소리는 여성인지 남성인지 구분할 수 없었다고 합니다. 이후 야간 근무를 마치고 집으로 돌아가던 중 쓰러져 있는 남성을 발견했다고 진술하였습니다.

경찰은 사건 현장에 출동하여 즉시 수사에 착수했지만, 범인은 그 자리를 떠나기 전 흔적을 남기지 않고 사라졌다고 합니다. 경찰의 말에 따르면 사건은 우발적으로 일어난 범행으로 보이며, 사건 전황을 보았을 때 또다시 충동적으로 범행을 저지를 가능성이 높다고 판단되어 사건을 공개수사로 전환한다고 밝혔습니다."

.
.
.

나는 TV 소리에 잠에서 깼다. 어제저녁에 소파에 기대어 TV를 보고 있었는데 나도 모르게 잠에 들어 지금까지 계속 켜두었던 모양이다. TV에서는 며칠 전에 일어난 우발적 살인사건에 대한 뉴스가 보도되고 있었다. 이 근처에서 살인사건이 일어나다니…

아 물론 살인사건은 이번이 처음이 아니다. 그저 살인사건이 발생한 장소가 다른 날과는 달리 내가 살고 있는 동네 바로 근처란 사실에 놀랐을 뿐…

몇 년 전부터 내가 살고 있는 지역은 사건 사고가 많은 지역으로 불렸다. 그중 살인사건은 지금까지 풀리지 않은 인체인형 연쇄 살인사건 하나뿐이었는데 이번에 또다른 살인사건이 생긴 것이다.

아직 인체인형 연쇄 살인사건의 범인도 잡지 못했는데…. 이번 사건의 범인은 금방 잡힐까…. 뉴스에 나온 사건을 오랫동안 생각하니 머리가 복잡해졌다.

복잡해진 머리를 식히기 위해 다른 채널로 돌렸지만 하나같이 재미가 없었다. 이내 나는 바닥에 떨어진 리모컨을 주워 TV를 껐다.

．．
．
．

내 이름은 데모나. 올해로 26살 여자이다. 나는 평범한 사람들과는 좀 다른 생활을 하고 있다. 집을 나와 혼자 살게 된 이유로 이제껏 가족들과도 연락을 잘 안 했고, 친구라고 할 만한 사람들도 있지 않다. 그렇다 보니 집 밖으로 안 나간 지도 오래다.

나는 사회에 혼자 남은 이 생활에 익숙해져 있는 거 같다. 남들은 나를 보고 음침하다고 하지만 이제 나는 별 신경 쓰지 않는다.

이러한 생활을 지속적으로 하다 보니 사회를 차단하며 동떨어져 살고 있다. 평소 일을 하고 있진 않지만, 부모님과 연락이 끊기기 전에 생활비를 받아 모아둔 돈으로 생활을 이어가고 있다. 하지만 그 마저도 점점 부족하다.

그때 핸드폰에서 진동이 울렸다. 나는 부모님께서 돈을 보내 주셨나 하는 헛된 희망을 품고 핸드폰을 확인했다. 하지만 역시 괜한 기대였나보다.

내가 뭘 기대한 건지…

나는 실망감을 접어두고 허기가 진 배를 채우기 위해 컵라면을 찾아 집어 들었다. 그때 현관문 밖에서 누군가의 인기척이 느껴졌다. 두드리는 소리와 함께 중년 남성의 굵은 목소리가 들렸다.

똑

똑

똑

데모나 씨, 집에 계십니까?

1부

　내 이름은 저스티스. 디나이얼 주 경찰서에서 12년
동안 일해 현재 경감으로 근무하고 있는 38살 남성이
다. 나는 어릴 때부터 경찰이 되는 것을 꿈꿔왔다. 하
지만 나의 부모님은 위험하다며 안정적인 직업을 원하
셨다. 부모님의 극구반대에도 나는 결국 경찰이 되어
디나이얼 주의 경찰서에서 근무할 수 있게 되었다. 하
지만 마을의 평화와 시민들의 안전을 위하는 나의 이
상과 달리 우리 경찰서에선 현재 일어나고 있는 인체
인형 연쇄 살인사건의 범인을 잡지 못하고 있다.

.
.
.

7월 26일 금요일

"저스티스 경감님, 아직 그 사건 조사 중이십니까?"

"당연하지. 이 사건의 피해자가 지금까지 몇 명인 줄 알아? 범인은 못 잡고 있는데 피해자는 늘고 있다고"

"그렇죠…. 수사를 진행 중이긴 한데…. 범인의 흔적도 찾지 못하고 이 사건을 오랫동안 수사하는데 나오는 게 없으니 다른 분들도 지치신 듯 보이네요…"

직장 후배의 말대로 디나이얼 주의 경찰서에선 오랫동안 수사를 해도 풀지 못한 살인사건이 있다.
몇 년간 이 사건의 집중 수사를 했지만, 피해자만 늘 뿐이었다. 그래서일까… 동료들은 점점 자책하며 희망을 잃은 듯 보였다.

"그래도 어쩌겠어. 경찰인데 끝까지 해야지."

그때 갑자기 경찰서 내 전화기가 울렸다. 가까이 있던 내가 재빠르게 전화기를 울렸다.

"네. 멘프레드 경찰서 입니다. 무슨 일 이시죠?"

"여… 여기 사람이 죽어있어요…"

전화기 너머로 떨리는 목소리가 들렸다.

"위치를 자세히 말씀해 주실 수 있을까요? 정확히 어디 계시죠?"

"여기 비기닝 상가 앞 거리에요…"

"자세한 건 만나서 듣죠. 잠깐 주변에 계시면 금방 도착하겠습니다."

전화가 끊기자, 후배가 놀란 목소리로 나를 쳐다보며 물었다.

"경감님 무슨 일이에요? 사건이 터진 겁니까?"

"비기닝 상가에서 살인사건이 터졌어. 현장으로 나갈 거니까 너도 준비해."

"아 알겠습니다."

나는 후배, 동료들과 함께 놀란 마음을 가라앉히고 현장에 나가기 위해 차에 탔다. 현장에 나가면서 처음으로 살인사건 현장에 갔었던 날이 떠올랐다. 내가 경찰 일을 하면서 아직도 잊지 못한 그날의 기억. 지금까지 우리 경찰서에서 범인을 잡지 못하고 있는 인체인형 연쇄 살인사건, 그 사건의 첫 현장 조사를 나갔을 때의 일이다.

현장에 도착했을 때 먼저 강한 냄새가 코를 찔렀다. 이후 현장을 보니 그 사건의 범인은 다른 범인들과는 달리 자신의 범행을 숨기려 하지 않았다. 숨기지 못했던 것이 아니라 숨길 생각이 아예 없었던 것에 가까웠다 범인은 시신을 자기 하나의 작품으로 생각하듯이 시신을 한 곳에 보란 듯이 두고는 그 주의를 자신의 취향대로 꾸며놨다. 작품을 전시해 논 것처럼 말이다. 내가 이날을 잊지 못했던 이유는 피해자의 모습 때문이었다.

팔다리는 축 늘어져 앉아 있었고, 이곳저곳이 토막 낸 후 다시 꿰매져 있었으며, 두 눈은 뽑혀 그 자리의 단추를 달아놨다.

피해자의 입꼬리도 꿰매져 있어 얼핏 보기엔 웃고 있는 것처럼 보였다.

그녀의 모습은 마치 하나의 큰 기괴한 인형 같았다.

나는 피해자의 모습을 본 순간 뒷걸음질을 치다가 뒤로 넘어졌다. 또한 말이 나오지 않았으며, 손이 벌벌 떨렸다. 아무리 경력직의 경찰이 오더라도 이 사건을 마주한다면 나와 같은 상태가 되었을 것이다. 여기서 더 충격적이었던 건 시신의 부검 결과였다.

시신의 죽은 사인은 외형적으로는 알 수가 없었다. 죽은 사인을 알아내기 위해 부검을 맡겼다. 이후 경찰서에 부검 결과 서류 지가 도착했다. 그 서류를 본 경찰들은 할 말을 잃었다. 후배 몇 명은 기절까지 했다. 나는 긴장하며 떨리는 손으로 서류를 받았다.

부검 결과로는
피해자의 내부에는 장기들이 없었고,
텅 비어있는 공간을 솜으로 꽉 채워 넣어져 있어
죽은 사인을 알 수가 없었다고 되어있었다.

한마디로 완전한 인형의 모습을 띠고 있었다.

사람 몸의 장기가 아닌 솜으로 가득 채워져 있다니… 얼마나 기괴한 일인가… 분명 시신이 있던 그 자리에는 피해자의 혈흔 없이 깨끗했는데…
내가 봐왔던 사건 중 가장 기괴하고 잔인하며 변태적인 사건이었다.

과거의 일을 회상하다 보니 현장 근처에 도착했다.
상가 옆에 차를 세우고 피해자가 있는 거리 쪽으로 걸어가니 피해자에게 다가갈수록 익숙하면서도 강렬한 냄새가 났다. 어딘가 맡아본 냄새…

사건 현장에는 머리에 피를 흘린 채로 쓰러져있는 남성과 그 옆에 피 묻은 돌이 있었다. 후배는 몇 미터 떨어져 주저앉아 떨고 있는 신고자를 일으켜 세워 근처

의자에 앉혔다. 후배가 신고자와 대화를 나누는 동안 나는 피해자의 상태를 확인했다.

피해자는 엎드린 채로 쓰러져있었고 뒤통수에는 무언가로 가격한 흔적이 남아있었다. 피해자 옆에 있는 돌로 보아 이 돌로 피해자의 뒤통수를 가격한 것으로 보이며 피해자가 차갑게 식어있는 것으로 보았을 때 약 1시간 정도 것으로 보인다.

"경감님! 잠시만 여기로 와주십시오."

후배의 말을 듣고 나는 후배와 신고자가 있는 곳으로 다가갔다.

"무슨 일인가?"

"신고자분께서 몇 시간 전의 상황을 진술하신다고 하여 급히 경감님을 불렀습니다."

"아까 일의 상황에 대해서 아시는 대로만 말해주십시오."

신고자는 떨리는 목소리를 가다듬고 작게 말했다.

"12시 47분쯤 두 사람이 다투는 듯한 소리를 들었어요…"

"두 사람이 하는 대화를 들었나요?"

신고자의 말을 듣고 있던 후배가 옆에서 자세한 대답을 원하는 듯 조용히 입을 열었다.

"자세하게는 듣지 못해서 확실하진 않지만 제가 듣기에는 저 사람이 어떤 사람한테 욕설을 퍼붓고 있었어요."

신고자는 쓰러져있는 남성을 가리키며 말했다.

"대화를 들었을 때 두 사람의 관계가 어때 보였습니까?"

"대화를 듣기로는 두 사람은 친분이 없었던 사이 같았습니다."

"그럼 혹시 상황을 직접 보시진 않았습니까?"

"들기에 상황이 심각한 것 같길래 잠깐 나가서 보긴 했습니다. 봤을 때 저기 저 사람이랑 그 앞에 누군가 있었어요. 근데 다른 한 사람은 검은 후드를 뒤집어쓰고 있어서 얼굴은 못봤습니다…"

신고자는 더 이상 말을 잇지 못하는 듯 힘들어 보였다.

"힘드시면 나중에 얘기해주셔도 괜찮습니다. 다음에 연락드릴 테니 그때 말씀 부탁드리겠습니다. 오늘은 이만 귀가하셔서 안정을 취하고 계시는 것이 좋겠습니다."

나는 동료들에게 현장 수습을 맡기고, 후배와 함께 신고자를 집 앞까지 데려다준 이후 경찰서로 돌아갔다.
경찰서에 도착한 후 증거품으로 챙겨왔던 피 묻은 돌에 남아있는 지문을 알아내기 위해 지문검사를 맡겼다. 하지만 절망적이게도 돌에는 피해자의 혈흔만 남았을 뿐 범인의 지문은 채취되지 않았다.

"지문이 남지 않았다는 건 계획된 범죄일까요?"

"하지만 그러기엔 시신 수습을 하나도 하지 않았어. 흉기까지 시신 옆에 내던져 있었는걸. 만약 계획적으로 범행을 저지른 거라면 조금의 뒷수습한 흔적이 보였겠지."

"누군가 오는 소리를 듣고 급하게 도주한 것이 아닐까요?"

"그랬다면 신고가 빨리 들어왔겠지. 하지만 내가 시신을 확인했을 때 죽은 지 1~2시간은 된 거 같았어. 몸도 차가웠고. 그러니깐 시신이 죽고, 신고가 들어오는 그 사이에 피해자는 방치되고 있었다는 거야. 누군가 오는 소리를 듣고 이후에 누군가 왔다면 이리 늦진 않았을 거란 말이지."

"그럼 … 우발적으로 일어난 걸까요?"

"신고자의 말에서 친분이 없는 두 사람의 말다툼으로 일어난 것으로 보면 충분히 우발적으로 저지를 순 있지."

하지만 우발적으로 벌어진 사건에 지문 하나가 안 남을 수 있나… 계획되지 않고서 어떻게 이럴 수 있는 거지? 그때 현장 수습을 마친 동료들이 피곤한 기력으로 힘없이 돌아왔다.

"이봐, 뭐 좀 나온 거 있나?"

나는 돌아온 동료 중 마지막으로 들어온 경위 한 명을 붙잡아 물었다.

"예? 아 저스티스 경감님이시군요? 현장에서 발견된 것은 없지만 현장 근처 쓰레기통에서 피 묻은 장갑이 발견되었습니다. 이외에 다른 증거는 발견되지 않고요."

장갑? 범인이 장갑을 끼고 있었단 건가? 그럼 이 사건은 계획적으로 저지른 범행이란 건가… 만약 이 사건이 계획적으로 일어난 사건이라면 왜 시신을 길거리에 방치한 거지? 계획적으로 일어났다기엔 시신을 방치한 것과 친분이 없는 두 사람이 말싸움으로 시작된 것을 보면 충동적인 부분이 꽤 많은데… 하지만 충동적으로 일어났다고 하기에도 이상한 점이 너무 많아…

"만약 이 사건이 단순히 말다툼으로 시작된 충동적인 범행이라면 범인은 왜 장갑을 끼고 있었던 거지?"

"평소에도 장갑을 끼고 있었던 거 아닐까요?"

의문을 품은 나에게 후배가 말했다.

"평소에 장갑을 끼고 다닌다고? 지금이 25도야. 몇 시간 전에는 지금보다 더 높았을 텐데. 이 더운 날에 장갑을 끼고 다닌다는 게 말이 돼?"

"뭐… 알레르기가 있을 수 있죠… 억지라면 억지겠지만 지금 상황에 끼워서 맞춘다면 그 방법밖엔 없으니까요…"

"알레르기?"

"물론 신체를 가려야 하는 알레르기라면요…"

내가 왜 그런 생각을 하지 못했지…

후배의 말을 들은 나는 아차 싶었다. 평소에 신체를 가려야 하는 상황이라면 극심한 알레르기일 확률이 높기에 마을에서 심한 정도에 알레르기를 가지고 있는 사람들을 조사해 봤다.

조사 결과 수많은 사람들이 나왔지만, 그중에 신체를 가려야만 하는 알레르기는 햇빛 알레르기 뿐이였다. 마을 안에서 심한 햇빛 알레르기라면 평소 신체를 가리는 데 충분했다.

첫 번째 용의자

이름: 데모나

성별: 여성

나이: 26세

특이 사항: 다른 사람과 접점이 없음. 햇빛 알레르기로 인해 쓰러져 병원에 갔었던 진료 기록이 있음.

두 번째 용의자

이름: 에드워드

성별: 남성

나이: 78세

특이 사항: 심한 햇빛 알레르기로 인해 몇 년째 병원에 입원 중으로 확인.

세 번째 용의자

이름: 케빈

성별: 남성

나이: 13세

특이 사항: 극심한 알레르기로 인해 학교에 다니지 못하고 있음.

에드워드 씨는 현재 병원에 입원 중인데 어제 사건의 범인일 수 있나? 케빈. 케빈은 나이가 너무 어리기도 하지만 케빈의 집과 살인사건 현장에 거리가 너무 멀어… 집 근처 학교도 못 다니는데 여기까지 와서 성인 남성을 살해하기엔 어린애 혼자로는 너무 역부족이야…

그럼, 일단 지금 상황에서 유력한 용의자는 데모나 씨인데…

7월 27일 토요일

나는 신고자인 상가 주인과 대화를 더 해보기 위해 경찰서로 와달라는 연락을 했다. 몇십 분 뒤 상가 주인이 경찰서에 찾아왔다.

"그날에 대해 더 진술해 주실 수 있으십니까?"

상가 주인은 말없이 고개를 끄덕였다.

"혹시 피해자와 말다툼하던 사람이 장갑을 끼고 있었습니까?"

"장갑이요? 어… 검은 가죽장갑을 끼고 있었던 거 같아요…"

"그럼 수상하거나 이상한 점이 있었습니까?"

"검은 후드를 뒤집어쓴 사람이 목소리가 중성적이고 말투도 거칠어서 남자인 줄 알았는데 뒤에서 보니깐 체구가 좀 작더라고요. 그런 점을 보면 여자 같기도 해서…"

"검은 후드한테서 피해자를 해하려는 수상한 점은 보지 못했습니까?"

"보고 있는데 쓰러져 있던 남자와 눈이 마주쳤어요. 근데 이 남자가 갑자기 저에게 윽박지르더라고요. 그래서 기분이 나빠져서 그냥 상가 안으로 들어갔어요. 그 이후엔 상황을 보진 못해서 잘은 모르지만 뭔가 툭하는 소리가 들렸어요. 툭 소리가 나고서는 조용해지길래 상황이 괜찮아진 줄 알고 가게를 정리하고 있었죠. 그러고 가게 문을 닫고 집에 가려는데 말싸움하던 그 남자가 쓰러져있더라고요…"

"아 그렇군요… 당시 상황을 떠올리는 것이 힘드셨을텐데 진술을 통해 수사에 큰 도움을 주셔서 감사합니다."

7월 28일 일요일

나는 알레르기를 가지고 있는 첫 번째 용의자인 데모나 씨를 알아보기 위해 후배를 데리고 그녀의 집으로 갔다. 물론 아직까진 이 사람이 범인이라고 확신할 순 없다. 좀 더 명확한 증거를 얻기 위해 서둘러 그녀의 집으로 향했다.

주택 단지 앞에서 주소지가 적힌 종이를 한 번 확인해 보곤 걸음을 재촉했다.

그녀의 집에 도착해서 문 앞에 섰다. 방음이 잘 안되는 얇은 벽 때문인지 현관문 너머에서 움직이다가 멈추는 소리가 들렸다. 나는 곧장 문을 두드렸다.

똑

똑

똑

데모나 씨, 집에 계십니까

2부

처음에 문을 두드렸을 땐 집 안에선 아무런 소리도 들리지 않았다.

"집에 안 계신 걸까요."

"아니 분명히 있을거야."

"분명히요?"

"분명 아까 이 집 안에서 소리가 들렸어. 집에 아무도 없다면 소리가 왜 나겠어."

나는 집 안에서 분명한 소리를 들었기에 그녀가 집 안에 있을 거라고 확신했다.

"안에 계신다면 왜 안 나오시는 걸까요…"

"일단 나올 때까지 기다려봐야지. 오늘 꼭 이 사람을 만나야 해. 일단 지금으로서는 이 사람이 가장 유력한 용의자야. 넌 내가 대화할 동안 옆에서 녹음해."

"아 알겠습니다."

나는 다시 한번 더 그녀의 집 문을 두드렸다.

"데모나 씨, 집 안에 안 계십니까?"

그녀는 좀처럼 얼굴을 보이려 하지 않았다. 그러나 나는 집 안에 있을 거라는 확신을 갖고 계속 기다렸다. 이후 문이 천천히 열렸다. 아마 내가 계속 부르니 마지못해 열은 듯했다.

"누… 누구세요?"

그녀는 수상할 정도로 우리를 경계했다.

"멘프레드 경찰서에서 나온 저스티스 경감입니다. 이

번에 발생한 우발적 살인사건에 대해 잠시 여쭤볼 것이 있어 찾아왔습니다."

"경찰이요? …저 그 사건에 대해서 아는 거 없는데요…"

그녀는 문을 조금만 연 채 도무지 얼굴을 보이려 하지 않았다.

"잠깐이면 됩니다. 수사 차 나왔으니 잠시 협조 부탁드립니다."

그녀는 한동안 말이 없다가 조용히 입을 뗐다.

"그럼… 빨리 끝내주세요."

"혹시 오늘 새벽 1시경에 어디 있었습니까?"

"전 당연히 집에 있었죠. 그 시간에 밖에서 뭘 하겠어요…"

"그럼, 집에서 무얼 하고 계셨죠?"

"집에서 그냥 TV를 보고 있었어요… 그러다가 그냥 잠들었고요…"

"그게 몇시 쯤이었는지 기억나십니까?"

"기억은 잘 안 나는데 한… 저녁 10시 정도였던 거 같아요…"

"혹시 비기닝 상가에 자주 가십니까?"

"전 밖을 잘 안 나가요… 뭐… 가끔 나갈 때도 있지만 거의 안 나가요…"

그녀는 조용하고 떨리는 목소리로 얘기했다.

"혹시 평소 아니 가끔 외출하실 때 장갑을 착용하십니까?"

"아… 저 햇빛 알레르기가 심하게 있어서 밖에선 꼭 착용해야해요…"

"필수적으로 착용해야 한다는 말씀이시죠?"

"그렇죠… 근데 왜 이런 질문들을 하시는 거예요..?
목격자 진술에 관한 질문은 아닌 거 같아서요…"

그녀는 의구심이 가득 찬 눈으로 날 바라봤다. 뭐라
고 말해야 할까. 그녀에게 '당신은 현재 유력한 용의자
입니다. 그래서 지금 난 당신에게서 증거를 수집하기
위해 여기 왔습니다.'라고 솔직히 얘기할까, 아니면 그
냥 조사 차 나온 질문이라고 말할까. 솔직히 말한다면,
그녀가 범인일 경우에 도망갈 시간을 줄 수 있다. 경찰
이 자신을 쫓는다는 사실을 알고 가만히 있진 않을 테
니 말이다.

하지만 그녀가 범인이 아니라면 괜히 무고한 사람을
건드리는 상황이 된다. 그렇다고 해서 조사 차 나온 질
문이라고 하기엔 그녀의 의구심은 커져간다.

"일단 집 안으로 들어가서 얘기 나눠도 되겠습니까?
밖에서 말을 나누기엔 주변에 사람들이 너무 많아서
요."

나는 그녀가 평소 사람들과 접점이 없다는 사실을

알고 그녀를 자극하며 은근히 그녀의 질문을 회피했다.
내 말을 들은 그녀는 그제야 사람들의 시선을 느끼는
듯 급히 문을 활짝 열었다.

"빨…빨리 들어오세요…"

집 안에 들어간 후배와 나는 집 안을 이리저리 둘러
보았다.

"잠깐 여기 앉아계세요… 물 좀 드릴게요."

그녀는 자리를 안내해 준 뒤 잠시 자리를 비웠다. 그
녀의 집에 들어갔을 땐 강한 에탄올의 냄새가 가득 퍼
져있었다.

"이 냄새를 어디서 맡아봤는데… 어디서 맡았었더
라…?"

나는 강렬한 냄새를 맡고 혼자 중얼거렸다.

"네? 경감님 뭐라고 하셨습니까?"

한참 중얼거리는 나에게 후배가 물었다.

"아니야. 잠시 생각할 게 있어서… 근데 이 냄새 어디서 맡아본 거 같지 않아?"

"아 하긴 집에 들어왔는데 코가 저릿저릿하던데요…"

후배와 나는 데모나 씨가 들리지 않게 소곤소곤 속삭였다.

"이게 무슨 냄새일까요? 향수는 아닌데… 되게 강한 소독 냄새 같기도 하고… 화학약품 냄새인 거 같기도 하고…"

후배와 내가 얘기를 나누는 동안 데모나 씨가 물을 따른 컵 두 개와 과일을 가지고 우리에게 다가왔다.

"일단 드세요. 날씨가 더워서 시원한 물 가져왔어요…"

후배는 목이 말랐는지 물컵을 받자마자 물을 들이켰

다. 이후 셋은 잠깐 침묵 속에 있었다.

"저… 집 안에서 소독 냄새가 심하게 나는데 혹시 집에 뭐 하나요?"

침묵 속에서 후배가 조용히 입을 떼어 아까 나와 나눈 냄새에 대해 말을 꺼냈다.

"소독 냄새요…? 집에 딱히 뭐 안 하는데… 그냥 집 안에서 이상한 냄새가 나서 제가 아침에 에탄올을 곳곳에 좀 뿌렸어요. 그래서 그런가 보네요…"

다른 사람들은 보통 집 안에서 이상한 냄새가 나면 향수를 뿌리거나 집 안을 환기를 하지 않나? 그러나 그녀의 집 안은 온통 에탄올의 냄새가 가득했는데 이상하게 그녀는 냄새에 무감각한 것인지… 그녀의 집의 창문은 다 닫혀있었다.

나는 그녀와 대화할수록 점점 그녀의 대한 의구심이 커져만 갔다. 가장 수상한 점은 그녀는 대화할 때 계속해서 고개를 아래로 푹 숙이며 말했다는 것이다.

"아 그렇군요. 그런데 왜 고개를 숙이고 계십니까.

편하게 말씀하셔도 됩니다."

내 말을 들은 그녀는 이상하리만큼 당황하며 입을 우물거렸다.

"예? 아… 근데 사건에 대해서 물어보려고 오신 거 아닌가요…? 저희 집에 나는 냄새가 사건에 영향을 끼치나요…? 끝났으면 빨리 가주세요…"

"아 죄송합니다. 얘기가 좀 산으로 갔네요. 일단 오늘은 이만 가겠습니다."

나는 더 이상 그녀를 자극하면 안 된다고 판단이 돼 후배를 데리고 급히 그녀의 집을 나왔다. 다음에 그녀의 집을 갔을 때 그녀가 문을 열어줄지는 아직 모르겠지만 나는 그녀와의 만남은 오늘로 끝나진 않을 것이라 생각했다.

오늘 본 그녀의 모습은 수상한 점이 한두 군데가 아니었지만 그렇다고 해서 그녀를 범인으로 단정짓기엔 확실한 근거가 없을뿐더러 오늘 본 수상한 점들도 평소 다른 사람과 접점이 없으며, 집 밖에 잘 나오지 않는다는 그녀의 정보를 보면 충분히 그럴 수 있다고 생각한다.

"근데요… 오늘 본 그 여자 좀 이상하지 않았어요? 그냥 뭔가 꺼림칙해서요…"

"짐 안에서 나는 냄새 때문에?"

"물론 그것도 당연히 이상한데 그냥 뭐랄까… 대화할 때 계속 고개를 숙이고 있고… 얼굴을 들지 않으니 그 여자 얼굴도 잘 못 봤어요. 이번 사건, 본인이 한 짓도 아닌데 뭐가 그렇게 두려워서 고개를 숙이고 있는 건지…"

"사람"

후배의 말을 들은 나는 나도 모르게 중얼거렸다.

"네?"

후배는 내 말을 이해하지 못했다는 듯 되물었다.

"아. 그 여자가 그렇게 두려워하는 거 사람일 거 같

다고"

"사람이요…?"

후배는 내 말이 뜬금없다는 듯 황당해했다.

그래. 그럴 수 밖에… 솔직히 나도 내가 무슨 말을 하는지 잘 모르겠는데 다른 사람이 이해할 리 없지…

경찰서로 돌아와서 나는 한참 동안 그녀에 대해 생각해 봤는데… 내가 본 그녀는 그냥 사건과는 관련없이 사람 자체를 무서워하는 것이라고 느꼈다.

오늘 그녀가 계속 고개를 숙이면서 말했던 모습도 그녀가 범인이라서 찔린 것이 아니라 그냥 단지 사람이 무서워서일 것이다. 그녀가 과거의 무슨 일이 있었는지는 잘 모르지만, 현재 그녀는 사회를 완전히 차단하여 살아가고 있다. 다시 말해 그녀는 자신만의 세계에서 홀로 살아가고 있다는 말이다.

하루 종일 그 여자를 생각하다 보니 시간이 한참 지나있었다. 아무래도 그 여자에 대해 너무 깊게 생각 했나보다.

"벌써 어두워졌네…"

"경감님 집에 안 들어가십니까? 시간도 늦었습니다."

"먼저 들어가. 난 좀 더 있어야 할 것 같아."

　나는 하루 종일 생각할 게 많아서 그런지 머리가 좀 복잡해졌다. 이젠 내가 잘하고 있는지도 헷갈리기 시작했다. '난 지금 뭘 해야 하지?', '수사가 잘되고 있는 건가?'
　나는 머리를 식히기 위해 물을 마시러 휴게실로 갔다. 휴게실 테이블 위엔 물이 담긴 페트병이 보였다. 나는 물을 마시기 위해 페트병을 들어 올려 뚜껑을 열어 입에 가까이 댄 순간 알코올 냄새가 슬며시 올라왔다.

　알콜?

　알콜냄새를 맡으니, 그녀의 집에서 났던 강렬한 에탄올 냄새가 떠올랐다. 그 냄새를 생각하니 경찰서 내부에서도 에탄올의 냄새가 풍기는 것 같았다.

"잠깐. 내가 그 냄새를 어디서 맡아봤는데… 분명 그 냄새였는데… 아 맞아! 새벽에 사건 현장에 도착했을 때 이 냄새가 났었는데"

내가 어디서 맡아봤다고 한 그 냄새. 머릿속에서 맴돌던 희미한 기억이 생생하게 떠오르기 시작했다. 그 냄새는 우발적 살인사건 현장에 나갔을 때 났던 냄새였다. 물론 현장에서는 그리 강하게 나진 않았다. 하지만 분명 에탄올 냄새였다. 그때 그 에탄올 냄새는 그녀와 관련이 있을까?

7월 29일 월요일

"경감님. 어제 여기서 주무셨습니까?"

"아… 왔나? 어제 피곤해서 곯아떨어졌나 보군."

"제가 어제 혹시 몰라서 에드워드 씨가 계신 병원에도 연락해 보고 케빈의 집에도 연락해 보았는데 오늘 아침 답이 왔습니다. 연락한 결과 그날 에드워드 씨는 보호자분과 함께 병원에 계셨고 케빈은 8시에 일찍 잠에 들었다고 케빈의 부모님께서 말씀하셨습니다."

"그럼 두 사람은 그날의 알리바이를 확실히 입증해 줄 사람이 있는 거군. 이제 남은 사람은 데모나 씨뿐인데 데모나 씨는 알리바이를 입증해 줄 사람이 없으니, 그녀의 말을 온전히 믿지는 못하겠어."

"일단 두 사람은 확실히 범인이 아닌 것으로 나왔으니 그 여자를 집중적으로 보면 될 것 같습니다."

"그래야겠군. 아 맞다. 내가 기억난 게 있어. 데모나 씨 집 안에서 나던 냄새 말이야…"

"아 그 에탄올 냄새요? 최악이었죠… 그 냄새. 코가 아플 정도로 뿌려둔 게…"

"그 냄새 말이야. 내가 뭔가 맡아본 것 같은 느낌이 났는데 어제 새벽에 사건 현장 나갔을 때 났던 냄새랑 같아."

내 말을 들은 후배는 무언가 깨달았다는 듯 몇 초 동안 입을 다물고 눈을 굴리며 머릿속으론 어떠한 것을 생각하는 듯 보였다.

"자네, 왜 그러나?"

"지금 갑자기 생각났는데… 그러고 보니 경감님 저번에도 같은 말씀하시지 않았어요?"

"내가? 무슨 말을 언제 했지?"

"어제 새벽에 우발적 살인사건 현장 조사 나갔을 때도 에탄올이라고 특정하여 말하시진 않으셨지만, 전에 이런 냄새를 맡아본 적 있다고 하셨었잖아요. 아, 물론 그냥 혼잣말하시는 걸 들은거지만"

내가 전에 언제 이런 말을 했었지?

"냄새 관련해서 전에도 이런 적이 있었는지에 대해서 자료 좀 찾아봐야겠어."

나는 제자리에서 한참 서 있다가 자료실로 달려갔다. 분명 자료실에 내가 기록해 논 것이 있을 테니 말이다. 나는 사건 자료를 하나하나 뒤져보았다. 이를 본 후배가 나를 돕겠다며 찾아왔다.

"경감님!"

몇 시간이 지나도 나오지 않아서 점점 지쳐갈 때쯤 후배가 하나의 자료를 들고 나에게 다가왔다.

"뭐라도 좀 찾은 거야?"

"이게 맞는지는 잘 모르겠는데요… 여기서도 에탄올 냄새가 강하게 났다고 적혀 있어서 일단 들고 왔습니다."

후배에게 건네받은 자료를 본 나는 그제서야 예전 기억이 떠올랐다. 자료에 나와 있는 사건은 현재까지 일어나고 있는 인체인형 연쇄 살인사건이었다. 내가 피해자의 시신을 보고 충격받던 그 사건. 그러고 보니 그 사건에도 에탄올 냄새가 났긴 했었지. 왜 사건마다 에탄올 냄새가 나는 거지…? 그것도 살인사건에서 말이야…

나는 의도치 않게 두 사건의 공통점을 발견했다. 멘프레드 경찰서에서 수사 중인 유일한 두 살인사건에서 똑같이 에탄올 냄새가 났다라… 더구나 이 냄새가 데모나, 그 여자 집에서 가장 강하게 났고…

"아무래도 데모나 씨 집에 한 번 더 방문해야 할 거 같아. 문을 열어줄지도 잘 모르겠지만… 만나봐야겠어."

"그 여자한테서 단서가 나온 겁니까?"

"단서가 나왔다기보단 뭔가 걸리는 점이 있어서."

"걸리는 점이요?"

"데모나 씨의 집, 우발적 살인사건 현장, 인제인형 연쇄 살인사건 현장 이 세 장소에 공통점이 있어. 지금까지 내가 계속 생각해 왔던 것. 에탄올 냄새. 그냥 내 생각은 그래."

"경감님의 말씀, 가능성은 있습니다. 아니 높다고 할 수 있겠네요."

"경감님. 만약 경감님의 생각이 맞다면 그 여자. 이번 우발적 살인사건뿐만 아니라 인체인형 연쇄 살인사건이랑도 관련이 있다는 겁니까?"

"그렇다고 봐야겠지."

처음에 그녀에 대한 의심은 단순한 것이었다. 처음에 비하면 현재 내가 가지고 있는 그녀에 대한 의심은 그녀를 이미 범인으로 확정 지어났다. 이 의심이 사그라들 줄 알았지만 그건 내 착각이었다.

그녀의 집에 처음 갔을 때 그녀가 한 증언은 충분히 거짓으로 꾸며낼 수 있다. 그녀의 알리바이를 확인해 줄 사람은 주변엔 없으니 말이다.

한 가지 마음에 걸리는 것은 대화할 때 사람의 얼굴도 제대로 못 쳐다보는 사람이 어떻게 잔인하게 사람을 죽일 수 있단 말이냐는 것이었다. 더구나 한 가지의 사건이 아니기에 더욱 혼동이 올 뿐이었다.

"일단 지금 당장 데모나 씨 집에 가보지. 그녀랑 대화를 더 나눠봐야겠어."

"알겠습니다. 경감님. 바로 준비하겠습니다."

3부

7월 28일 일요일

"아 죄송합니다. 얘기가 좀 산으로 갔네요. 일단 오늘은 이만 가겠습니다."

.
.
.

우리 집은 항상 고요했다. 나 혼자였으니까. 하지만 누군가 내 집에 찾아왔다. 이게 무슨 상황인지는 나도 잘 모르겠다. 너무 순식간으로 벌어져서…

20분 전, 자신들을 경찰이라고 알린 두 남자가 집에 찾아왔다. 아침에 뉴스에서 본 사건에 대해서 물어볼게 있다면서 말이다. 처음에 그 남자들이 경찰이랍시고 찾아왔을 때 누군가 나에게 시비를 걸으러 장난을 치는

줄 알았다. 이 마을 안에서 음침하다는 등의 나를 꼬아
보는 사람들은 널렸으니 충분히 그럴 수 있다고 생각
했다. 하지만 대화를 하면 할수록 그 상황에서 장난은
찾아볼 수 없었다.

물론 나는 그들의 얼굴과 복장은 보지 못해서 무슨
얼굴이었는지, 무슨 옷을 입었는지 알 수 없다. 만약
내가 고개를 들고 그들의 모습을 보며 대화를 나누었
다면 바로 알 수 있었겠지.

나는 얼떨결에 그들을 우리 집 안으로 들였다. 원래
라면 상상도 못 할 일인데 누군가 볼까 두려워져 급급
히 숨는 데만 신경 쓰다 보니 앞을 보지 못 했던 것이
다. 누군가 내가 경찰들과 대화하는 모습을 보게 되면
이 마을에서 나에 대한 소문은 더 안 좋게 퍼질 것이
뻔했다.

나는 경찰들과의 대화에서 몇 가지 의문점이 들었다.

왜 나를 의심하는 듯한 질문들을 던지는 거지?
왜 나에게 알레르기가 있는지를 물어보는 거지?
왜 우리 집에서 나는 냄새에 대해서 물어보는 거지?
왜 내 장갑에 대해서 묻는 거지?

경찰들은 나를 만나기 전부터 나를 범인이라고 생각하는 것 같았다. 왜 나를 의심하는 건지… 나는 이 사건을 아침에 뉴스로 처음 들었는데…

만일 내가 범인이라 쳐도 내가 햇빛 알레르기를 가지고 있는 것과 우리 집에서 에탄올 냄새가 나는 것, 또 내가 평소에 장갑을 끼고 다닌다는 사실이 이 사건과 무슨 관련이 있기에 그러는지…

이 적막을 깬 건 배에서 나는 소리였다. 아까 밥을 못 먹은 걸 생각하니 더 출출해진 거 같았다. 나는 생각을 접어두고 먹으려고 집었던 컵라면을 다시 집어들었다. 나는 오전이 지나고 오후가 넘어서야 첫 끼를 먹을 수 있었다. 컵라면을 먹는 동안 저녁에 먹을 것이 없다는 걸 알게 되었다.

저녁엔 뭘 먹지… 나가서 사는 수밖에 없는데 어쩔 수 없이 나는 저녁을 사기 위해 밖을 나설 준비를 했다.

"잠깐, 내 장갑 어디 있지?"

나가려는 순간에 내 장갑이 보이지 않았다. 나는 심한 햇빛 알레르기가 있기 때문에 나갈 때에는 장갑을 꼭 끼고 가야 한다. 나는 한참 장갑을 찾으려 집 안 곳곳을 돌아다녀봤지만, 헛수고일 뿐이었다. 하는 수 없이 외투를 입고 주머니에 손을 숨기며 집을 나섰다.

저녁거리만 사고 돌아오려 했지만 예상치 못하게 장갑도 사게 되었다. 나는 사람들의 시선이 나에게로 쏠리는 것을 피해 바닥만 내려다보며 걸었다. 저녁거리와 간 김에 컵라면 몇 개를 더 산 후 장갑을 사기 위해 상가에 들렀다.

"안녕하세요. 글로브 상점입니다."

상점 주인을 지나서 상점 안으로 깊숙이 들어갔다. 나는 빨리 장갑을 사서 집으로 돌아가고 싶은 마음뿐이었다. 내가 평소에 쓰던 장갑과 같은 장갑을 집어 계산대로 걸어갔다.

"14000원입니다."

나는 계산이 끝나자마자 상점을 나와 집으로 향했다.

"갑자기 졸리네… 집에 도착하면 좀 자야겠어…"

오후가 돼서 그런지 점점 졸음이 쏟아졌다. 나는 가끔 이렇게 졸릴 때가 있는데 이럴 때면 며칠이 지나서 일어나기도 한다. 점점 눈이 풀리고 몸의 힘이 다 빠져 걷기도 힘들어졌다. 나는 앞으로 나아가지도 못하고 제자리에서 멍하니 서 있었다.

졸음이 너무 강하게 몰려온 탓인가 나는 집에 도착하지 못한 채 거리에 서서 눈이 감겼다.

7월 29일 월요일

나는 후배와 함께 데모나 씨의 정체를 확실히 밝혀내기 위해 차를 타고 급히 그녀의 집으로 향했다.

"경감님. 아까부터 계속 전화가 오는 것 같은데요…?"

후배의 말에 핸드폰 화면을 보니 부재중 전화가 10번이나 와있었다. 그녀에 대해 생각하느라 확인할 틈이 없던 탓이다.

"그렇구만. 10번씩이나 전화하다니… 무슨 일이 일어

났나?"

확인해보니 발신인은 나와 오랜 기간 인체 인형 연쇄 살인사건을 수사하고 있는 동료경찰, 디펜스였다.

그는 인체 인형 연쇄살인에 대해 발견한 것이 있을 때 빼곤 연락하지 않았기 때문에 그에게 연락이 왔다는 사실은 매우 중요한 일이 일어났다는 것이었다.

또다시 핸드폰이 울리자 나는 바로 전화를 받았다. 전화기 너머 어수선한 현장 소리가 들렸다.

"그놈의 짓거리가 또다시 발생했어. 추정컨대 아마 어젯밤에서 오늘 새벽 사이에 일어난 일 같아. 얼른 여기로 와줘야 할 것 같아."

그는 바로 본론을 꺼낸 뒤 자신의 할 말이 끝나자 전화를 끊었다. 통화 내용을 얼핏 들은 후배는 사색이 된 채로 핸들을 돌려 사건이 일어난 장소로 방향을 바꾸었다.

도착하기까지 후배와 나는 아무 말도 하지 못했다. 후배 역시 이전 사건 현장에서 본 잔인한 시체의 모습이 상당히 충격적인 기억으로 남아있던 것이다.

"지…지금 사건이 또 발생한겁니까…? 전 사건도 일어난 지 얼마 안 됐는데… 벌써 또 다른 사건이라니…"

"그런 거 같아. 디펜스가 연락한 걸 보니 연쇄 살인 사건이군. 이럴 때 일수록 긴장해야돼. 그만큼 이곳은 안전하지 않아."

"아 알겠습니다!"

창밖을 보며 마음을 추스리던 도중 도로 위에 컵라면이 뜬금없이 놓여져있는 것을 보았다. 마침, 신호에 걸려 멈춰있던 상태라 자세히 볼 수 있었다. 컵라면 세 개가 가지런히 놓여져있는 모습이 꽤나 괴이하게 느껴졌다.

"이봐, 저기 컵라면 너무 이상하지 않아? 모르고 떨어뜨리고 간 거라기엔 너무 누군가가 직접 세워놓은 것처럼 나란히 놓여있어."

후배가 고개를 돌려 컵라면이 놓여져 있는 도로를 쳐다봤다.

"그러게요… 이상하긴 하네요. 아무것도 없는 도로 위에 컵라면이라니…"

"흠… 여기 CCTV가 있던가?"

"CCTV요?"

"정말 말도 안 될 수 있지만 내 직감으론 이곳의 CCTV를 확인해 보는 것이 좋을 거 같아서."

"경감님의 직감으로 발견한 증거만 몇 개입니까. 경감님의 말씀이라면 뭐든 따라야죠."

"그렇게 말해주니 고맙네. 그럼, 자네가 믿는 내 직감을 따라서 CCTV를 확인해 보지."

"경감님은 현장 조사를 하셔야 하니 영상은 제가 챙기겠습니다. 일단 경감님은 제가 현장까지 모셔다 드리겠습니다."

"그래 주겠나? 자네를 번거롭게 하는군."

"아닙니다. 전 영상 챙겨서 뒤따라가겠습니다."

후배의 말이 끝나자, 초록 불로 신호가 바뀌었다. 사건 현장은 이곳에서 멀지 않은 곳이기에 바로 도착할 수 있었다.

현장에 도착하자마자 나는 차에서 내려 경찰들이 몰려 있는 곳으로 달려갔다. 다행이 이른 아침이라 그런지 주변에 사람들은 몇 없었으며 수사를 하지 않는 경찰들이 남아있는 시민들을 돌려보내고 있었다.

가까이 다가가자, 수사의 중심에 있는 나무가 눈에 띄었다. 이 나무는 디나이얼 주에서 가장 크기로 유명하며 이곳을 상징하는 나무라고 알고 있었다.

오랫동안 이어져 온 나무로 한 가운데엔 사람의 상체만 한 구멍이 뚫려있었는데, 그 안에 시체가 구겨진 채로 들어가 있었다.

시체는 누군가 일부러 구겨놓은 듯 팔과 다리가 안쪽으로 꺾여 들어가 보이지 않았고 몸통과 얼굴만이 가까스로 삐져나와 있었다. 얼굴은 확인하지 못할 만큼 칼로 몇 번이나 벤 듯 보였으며 이번에도 역시 눈이 있어야 할 자리에 단추가 꿰매져 있었다.

"오 저스티스 왔구만. 이번 사건 말이야, 사람들이 잘 볼 수 있는 공간에 시체를 둔 점과 미리 맡겨놓은 부검 결과로 시체의 장기 대신 솜이 들어있다고 나온 것으로 보아 우리가 계속 수사하던 인체 인형 연쇄 살인사건이 일어난 것이 분명해."

시체를 가까이서 수색하던 중 그가 다가와 말했다. 나의 생각 또한 그와 같았다.

"이번엔 꼭 증거를 찾아 이 연쇄살인의 범인을 잡자고, 몇 년이나 붙잡고 있던 사건이잖아. 아마 이번밖에 기회가 없을지도 몰라."

그가 대답 없이 고개를 끄덕였다. 그에게도 유력한 용의자를 추려낸 사실을 알려줘야 할 것 같아 그동안 있었던 수사 내용을 설명해 주었다. 듣는 동안 그의 반응은 시시각각 변했다.
처음엔 미심쩍은 표정을 지었다가 점점 후반부로 갈수록 무언가 확신이 선듯한 표정으로 바뀌었다.

"이 현장은 내가 맡을 테니 자네는 지금 당장 그 여

자 집에 가보게. 그 여자 집에서 뭔가 나올 수도 있으니 말이야."

"그럼 현장을 부탁하네"

"그래. 무언가 발견한 것이 있으면 바로 연락하고."

나는 고개를 끄덕였다. 이후 거리에 나와 후배에게 전화를 걸었다.

"여보세요 경감님? 지금 가는 중입니다. 최대한 빨리 가겠습니다."

"아, 영상은 챙겼나?"

"예. 챙겼습니다."

"그럼 현장 말고 사거리 쪽으로 와. 바로 데모나 씨 집으로 갈 거니까."

"현장 조사 끝나신 겁니까?"

"현장 확인은 했어. 역시 연쇄살인이더군."

"연쇄살인이라면…"

"그래. 사람을 단추 눈 인형으로 만들어 놓는 인체 인형 연쇄 살인사건."

"아… 역시 요즘… 분위기가 서늘하네요… 아 저기 경감님 보입니다."

후배가 도착하고 나는 바로 차에 탔다. 후배와 나는 데모나씨의 집에 가면서 CCTV에 대한 얘기를 나눴다.

"영상은 확인했나?"

"아 예. 확인해 봤는데… 좀 이상한 점이 있었습니다."

"이상한 점이라니?"

"그게… 바닥에 놓여진 컵라면, 경감님의 말씀대로 누군가 일부로 놓고 간 게 맞았습니다. 근데… 여자 한

명이 영상에 나왔는데 움직임이 이상했습니다."

움직임이 이상하다니 대체 영상에서 나온 여자가 뭘 했길래 그럴까… 후배와 얘기를 나누다 보니 데모나씨의 집에 도착했다.

"그 여자가 열어줄까요? 저번에도 거의 쫓겨나다시피 나왔는데…"

"그럼, 경찰인 걸 들키지 않고 가야겠군."

"어떻게요?"

"일단 따라와."

나는 그녀의 집 문 앞에 다가가 문을 두드렸다.

"택배입니다."

내 뒤에 있던 후배는 내가 무엇을 하는지 이해하지 못한 눈치였다.

"데모나 씨 안 계십니까? 택배입니다."

이후 집 안에서 목소리가 들려왔다.

"택배시킨 거 없는데요?"

잠깐 지나가는 한마디였지만 나는 무언가 이상함을 느꼈다.

"택배 주소가 여기로 되어있는데요, 이름도 데모나씨라 적혀있고요."

"데모나요? 아, 데모나… 아 예. 잠시만요."

이는 분명 데모나 씨의 목소리였다. 근데 왜 본인 이름을 남 부르듯이…
이후 그녀의 집 문이 열렸다. 그녀는 문을 활짝 열고는 웃으면서 나를 반겼다. 그녀의 모습을 본 후배와 나는 말을 잇지 못했다.

"어머 택배기사님이 아니셨네? 경찰분들이 저한테는 무슨 일로…?"

오늘 본 그녀의 모습은 어제와는 완전히 다른 모습이었다. 고개를 들고 내 눈을 바라보며 대화할 뿐만 아니라 씨익 웃기까지 했다.

"아… 잠시 여쭤볼 게 있어서 찾아왔습니다."

"그러시구나… 택배기사인척 안하셨어도 열어줬을텐데 뭐, 날도 더운데 들어오세요. 드시고 싶은 거 있으세요? 아 맞다 어차피 물 밖에 없지. 이 집은 뭘 놈에 먹을 게 없어 미리 좀 사다 놓지."

데모나 씨는 후배와 나에게 말을 건네다가도 도중에 알 수 없는 말을 중얼거렸다.

"여기 물이요. 근데 뭘 물어보러 오셨는데요?"

"아… 지금은 강하게 나진 않는데 어제 났던 에탄올 냄새에 대해서 여쭤볼 게 있어서요. 이 집안에서 나는 에탄올 냄새가 최근 발생한 우발적 살인사건 현장에서도 났었습니다. 그뿐만 아니라 인체 인형 연쇄 살인사건 현장에서도요."

"그런데요? 혹시 제가 범인이라고 생각하시는 거예요? 그 두 사건 다 제가 한 짓이라고요?"

"그런 건 아닙니다."

"아니긴요. 진짜 아니에요? 표정 보니까 거짓말 같은데?"

그녀는 내 말을 끊고 웃으며 말했다.
지금 이 여자는 나와 말장난을 하고 있는 것이다. 어제 그 여자가 오늘 이렇게 변했다니… 뭐가 진짜 이여자 모습인 거지? 사람이 하루 만에 이렇게까지 변할수가 있나?

"지금 사건에 관해 질문 드리는거니 진지하게 임해주세요."

"아니 그러려고 했는데 너무 터무니없는 말을 하시니까."

"... 어제 오후에 뭐 하셨습니까?"

"어제 오후요? 정확히 언제를 말씀하시는 거예요?"

"저희와 헤어진 이후부터요."

"음… 저녁거리를 사러 잠시 나갔었어요. 그게 다예요. 근데요, 지금 무슨 사건 조사 중이신 거예요?"

무슨 사건 조사 중이냐니.. 내가 어제 우발적 살인사건에 대해서 찾아왔다고 말하지 않았나..? 방금 우발적 살인사건과는 관련 없는 어제저녁에 대해서 질문한 건 사실이다. 하지만 그녀는 현재 어제 일어난 사건에 대해서는 모른다. 그녀는 가장 최근에 일어난 살인사건이라 하면 우발적 살인사건이라고 알고 있을 것이다. 왜 이런 질문을 하는 거지..

"그게 무슨 말이십니까?"

"저한테 어제저녁에 대해서 물어보시지 않으셨어요? 근데 우발적 살인사건이라면… 26일에 일어난 걸로 알고 있는데, 어제인 28일에 뭘 했는지가 왜 궁금하신가 해서요. 방금 그 질문이 저를 감시 목적으로 하신 건가요? 그게 아니라면 이번에 또 다른 사람이 죽었나요?"

이 여자는 뭘 알고 하는 말이었을까? 현재 내가 그녀의 말을 들어보면 무언가 아는 듯이 보였다.

"있잖아요. 경찰 아저씨, 사람들은 왜 항상 앞을 보지 못하는 걸까요?"

"이봐요, 데모나 씨 여기가 토론장입니까? 질문은 경찰인 저희가 합니다. 저희의 질문에만 답을…"

"잠깐."

나는 흥분하던 후배의 말을 멈췄다. 그녀가 대체 나에게 무슨 말을 하고 싶었던 건지 들어보고 싶었다.

"계속 말씀하세요."

그녀는 미소를 띠며 말을 이었다.

"사람들은요, 머릿속에 생각이 너무 많아요. 눈앞에 기회가 생겨도 뇌를 굴리기 바빠서 항상 놓치잖아요.

이후엔 항상 똑같은 결말이에요. 매번 후회 하더라구
요."

"무슨 말이 하고 싶으신 겁니까?"

"그냥 사람들이 좀 단순해졌으면 해서요. 그게 뭐든
지 간에 쓸데없는 생각할 시간에 눈앞에 있는 기회를
잡으려 움직인다면 멍청하게 놓칠 일은 없을 텐데 말
이에요."

이 여자가 하는 말이 꼭 나에게 하는 말 같았다. 후
배는 나와 다르게 들었을지도 모르지만 나는 이대로
생각만 하다간 이 사건을 해결할 기회가 눈앞에서 사
라진다는 듯한 약간의 조언처럼 들렸다.

"흐음 그래도 집에 오셨는데 이런 대접은 좀 너무했
죠? 나가서 과일 좀 사 올게요. 잠시만 기다려주세요."

그녀는 장갑을 낀 채 밖을 나섰다.
장갑? 우발적 살인사건의 장갑은 전에 동료들이 쓰
레기통에서 수거했을 텐데… 그럼, 장갑은 그녀의 집에
는 없어야 하는 거 아닌가…? 그녀의 집에 장갑이 나

왔다니… 집에 몇 개가 더 있는 건가? 아님… 그냥 범인이 아닌 건가?

"경감님. 이 여자 원래 이런 성격이었어요? 근데 뭔가 이상한데…"

"나도 알아. 데모나 씨가 많이 변해있다는 거."

"그게… 그것도 충분히 많이 이상한데요, 전 분명히 이 여자 얼굴 처음 보거든요? 근데 굉장히 익숙해요. 어디선가 본 거 같은데…"

"뭔 소리야 그게. 아무튼 여기 데모나 씨도 나갔는데 다시 돌아오기 전까지 집 좀 수색해 보지."

나는 아까 그녀의 말이 무척이나 신경 쓰였다. 기회를 잡으려면 행동을 하라는 듯한 말. 왜 나에게 그런 말을 건넸을까…

후배와 나는 집 안 곳곳을 둘러봤다. 하지만 그녀의 집은 전날 에탄올 냄새가 엄청 심하게 났던 것에 비하면 너무나도 평범한 집이었다. 또한 있으면 했던 장갑도 보이지 않았다. 그럼, 장갑은 그녀가 나가면서 낀 장갑 하나 뿐이란건가… 더 이상했던 점은 그녀는 나간 지 오래됐음에도 집에 돌아오지 않았다.

"혹시 이 집에도 지하실이 있나?"

이 마을에서는 집 안에 지하실이 있는 것이 흔히 볼 수 있는 구조였다. 후배와 나는 지하실을 찾는 데 몰두하며 돌아다녔다.

"경감님. 지하실을 발견했습니다. 거실 바닥에 있었습니다. 지하실 문을 카펫으로 가려놔서 찾는 데 좀 걸렸지만요."

"잠겨 있을 거 아냐. 열쇠도 찾아야지."

"그게… 다행인지는 모르겠지만 지하실 문이 열려 있습니다."

"지하실 문이 열려있다고? 문은 열어놓고 카펫으로 가렸다라… 일단 데모나 씨가 오기 전에 빨리 끝내지."

"예 알겠습니다."

후배와 나는 지하실 안으로 들어갔다. 근데 이상하게도 지하실은 밖에와는 달리 불이 켜져 있어 무척이나 밝았다. 지하실 내부는 거의 텅 비어 있었다.

있는 거라곤 주황색 책상과 그 위에 놓인 그녀의 분위기와는 정반대인 다채로운 공들이 담긴 유리병. 이외에 보인 것은 다른 집에서도 흔히 볼 수 있는 도구들이었다.

"이봐. 일단 여기 있는 유리병이랑 도구 상자 좀 챙겨가지."

"도구 상자요?"

"남들 다 있는 상자라지만 이 안에 든 도구가 흉기로 쓰일 수도 있어. 물론 그녀가 범인이라고 확정난 건 아니지만. 일단은 챙겨가 보는 거야."

"알겠습니다."

후배와 나는 물건들을 챙겨 지하실을 서둘러 나왔다. 그녀의 집에서 나와 앞에다 세워둔 차 뒷자리에 짐을 냈다. 이후 차에 타려는 순간 그녀의 목소리가 들렸다.

"경찰 아저씨. 벌써 가시는 거예요? 아쉽네요. 과일 사왔는데…"

"일이 생겨서 급히 가봐야 할 거 같습니다."

"하하. 그렇군요. 전 경찰 아저씨가 제 말을 이해했을 거라고 믿어요. 그럼 나중에 또 봐요."

그녀는 나를 보며 활짝 웃은 채, 다음을 약속하며 집 안으로 들어갔다. 나는 무언가 찜찜함을 느꼈지만 그녀를 뒤로한 채 경찰서로 갔다.

"자네가 가져온 CCTV 영상 확인해 볼 거니까 내 자리로 와."

"예, USB 여기 있습니다."

USB를 컴퓨터에 연결하여 영상을 확인해 보니 처음에는 별 볼 일 없는 거리였다.

영상이 15분 정도 흐르자 한 여성이 찍혔다. 영상 속 여성은 한 손에 장바구니를 든 채로 거리를 걷고 있었다. 그 여성이 지나가나 생각될 때쯤 여성이 중간에 멈춰섰다. 이후 CCTV가 있는 쪽으로 몸을 돌리곤 주저앉아 바구니에서 컵라면 3개를 바닥에 놓고는 장갑을 꺼내 자신의 손에 꼈다.

"잠깐 저 컵라면, 아까 우리가 봤던 장면이 여기서 나오는군."

"경감님, 저 기억 났습니다."

"뭐가 기억났다는 말인가?"

"아까 제가 데모나 씨 얼굴을 오늘 처음 봤는데 되게 익숙하다 했었잖아요…"

"그래서?"

"그 여자가 여기 영상에 나온 여자입니다…"

"뭐? 이 여자가 데모나 씨라고?"

후배의 말에 놀라 후배를 쳐다보려 고개를 돌리려는 순간, 영상 속 여자가 CCTV를 쳐다보며 장갑이 껴있는 손을 흔들곤 해맑게 웃고 있었다. 나는 그 여자의 얼굴을 본 순간 아까 후배의 말이 바로 이해됐다.

영상 속 여자가 아까 봤던 그 여자라니…

7월 30일 화요일

내가 눈을 떴을 땐 내 방 안이었다. 주변은 어둡고 고요했지만 내 방인 것을 느꼈다. 분명 내 마지막 기억은 길거리에서 잠이 든 기억뿐인데… 언제 집까지 걸어왔지? 내가 직접 걸어온 기억은 없는데 그렇다고 해서 누군가 나를 집까지 데려다주는 건 더더욱 아닐 테고… 집에 어떻게 돌아온 거지?

"지금이 몇 시지…?"

시간을 확인해 보니 저녁 9시, 늦은 밤이었다. 시간과 함께 내 눈에 띈 것은 오늘의 날짜였다. 30일 화요일? 내가 집 밖을 나선 것은 일요일이었는데… 나에게 30일 날 저녁의 기억과 어제의 기억은 없다.

3일 동안 잠들었다는 건가… 이 상황에 대해서 의문이 생겼지만 잠에 깊게 들어 며칠 동안 연속적으로 잠든 적이 몇 번 있었기에 그러려니 하고 넘겼다.

이후 나는 폰을 보곤 표정이 굳어졌다. 그럴 수밖에 없었다. 경찰서에서 몇 통의 전화가 와있었으니… 전화뿐만 아니라 문자까지 와 있었다. 아마 내가 전화를 받질 않으니, 문자를 남긴 거겠지… 나한테 왜 전화를 한 거지?

그때 이후로 끝난 거 아니었나?

나는 홀로 어두운 방 안에서 휴대폰에서 비치는 빛만 바라보며 시간을 보냈다. 그때 어제 인체 인형 연쇄 살인사건의 또 다른 피해자가 발생했다는 뉴스가 떴다.

"어제? 어제 대체 무슨 일이 있었던 거지? 그놈의 연쇄살인… 언제 잡히는 거야…"

하필 내가 아무 기억이 없는 날에 살인이 벌어지다니… 그러고 보니 항상 살인은 내가 잠들고 있었던 날에 벌어졌다. 아무 기억이 남지 않은 날… 그러곤 매번 다음날 뉴스로 알게 되지.

한참 폰을 보며 뉴스에 대한 생각이 깊어질 때쯤 저

녁을 안 먹은 것을 생각하니 배가 고파졌다. 나는 어두운 집 안에 불을 켜고 주방으로 향했다. 저번에 산 컵라면을 먹으려고 장바구니 안을 살폈다. 하지만 장바구니에는 아무것도 들어있지 않았다.

"어라…? 내가 저번에 컵라면 3개랑 장갑 사지 않았나…?"

꿈이었던 걸까? 분명 내가 길거리에서 잠들기 전에 샀던 게 기억이 나는데… 분명 사고 나서 기억을 잃은 건데…

"왜 없는 거지…? 내가 착각한 건가…"

나는 저녁을 포기하고 방으로 다시 들어갔다. 방 안에 들어가 불을 켜니 아까 전 어둡고 고요했던 방이 환해져 이제야 현실로 돌아온 느낌이었다.
침대에 누워 아까처럼 폰을 들여다보고 있을 때 무언가 내 눈에 띄었다.

"저거… 저게 왜 저기 있지?"

내가 본 것은 책상 서랍에 낀 장갑이었다. 혹시나 하는 마음에 서랍을 열어 확인해 보니 저번에 내가 산 장갑과 유사한 장갑이 나왔다.

"그래… 맞아 분명히 내가 장갑이랑 컵라면을 샀었는데… 근데 왜 이게 서랍 안에 들어가 있는 거지…? 난 여기에 놓은 기억이 없는데…"

내가 그때 산 게 맞다면, 내가 기억하는 일이 꿈이 아니라 현실이라면, 그 이후 계속 잠들었다가 방금 내가 잠에서 깬 것이 맞다면… 이 장갑은 장바구니 안에 들어가 있어야 하는 게 맞는 거 아닌가…? 또… 컵라면은 다 어디있는거지? 3개나 샀었는데 단 한 개도 보이지 않다니…

최근 들어 너무 혼란스러운 일이 번번이 발생한다. 자주 잠에 들고 며칠간의 기억이 없고, 나에게 왜 이런 일이 생기는 건지…

"이게 무슨 냄새야 또 이런 냄새가 나네…"

나는 이 상황에 의문을 품을 때쯤 우리 집에서 무언가 비릿한 냄새가 나고 있다는 것을 깨달았다. 전에도

내가 깊은 잠에서 깨면 이런 냄새가 났었는데… 우연
치고는 냄새가 나는 상황이 너무 일정하지 않나…

깊은 잠에 듦.
이후 잠에서 깸.
그다음 집에서 비릿한 냄새가 남…

나는 비릿한 냄새를 없애기 위해 또다시 에탄올을
들었다. 냄새가 강하진 않지만 계속 비릿한 냄새를 맡
고 있자니 너무 거북해졌다. 나는 에탄올을 집 안 곳곳
에 뿌렸다. 에탄올을 뿌리면서 갑자기 일요일 오전, 경
찰들이 집에 찾아와 나에게 한 질문이 생각났다.

**"저… 집 안에서 소독 냄새가 심하게 나는데 혹시
집에 뭐 하나요?"**

내가 그 정도로 심하게 뿌렸나…? 하지만 집 안에
서 비린 냄새가 심하게 나는 걸 근데… 이런 냄새는
왜 자꾸 나는 거지? 집에선 문제 될 게 없는데 말이
야…

계속 생각하다 보니 경찰들이 했던 질문들을 되짚어
보게 되었다.

"혹시 평소 아니 가끔 외출하실 때 장갑을 착용하십니까?"

나에게 왜 이런 질문을 했을까… 그것보다 내가 밖에선 장갑을 끼고 다닌다는 것은 어떻게 안 거지? 대체 상황이 어떻게 돌아가고 있는 거야. 나는 너무 혼란스러워졌다.

원래 몇 번씩 깊은 잠에 들어 일어날 때면 내가 모르는 사이에 음식을 먹었다던가, 내 더러웠던 방이 청소가 돼서 깔끔해졌다던가 등 무언가 변해있었다. 하지만 오늘은 최근에 일어난 사건과 그 일로 인해서 며칠전 찾아온 경찰들 때문인지 평소라면 넘어갈 일도 신경 쓰이기 시작했다.

경찰들이 나를 의심하고 온 이유가 뭘까…
왜 나한테… 온 거지?

왜 나인 거지…?

4부

데모나 씨는 왜 거기서 그러고 있었을까. 나는 CCTV를 보고 난 후 생각에 잠겼다. 영상 초반 부분에 나올 때는 데모나 씨라 해도 믿을 모습이었다.

사람들의 시선을 의식해서 고개를 들지 못하고 바닥만 보는 모습. 그런 모습이 내가 기억하고 있는 그녀의 모습이었다. 하지만 영상 속 여자와 아까 전까지도 본 그녀의 모습은 고개를 똑바로 들고선 알 수 없는 눈빛으로 내 눈을 똑바로 쳐다보았다. 원래 내가 알고 있는 그녀의 모습으론 전혀 보이지 않았다.

마치 딴 사람이 된 것처럼…

"왜 여기서 멈춰 섰을까요? 잘 가다가 갑자기…"

"멈춘 상태로 3초 정도 있었어…

"그러고 보니 멈춰 있다가 고개를 들 때부터 변한 거 같지 않아요? 초반에는 고개를 숙이고 어깨도 움츠리고 있는데, 고개를 든 순간부터 뭔가… 당당해졌다고 할까요…"

"지금 변한 이 모습이 아까 우리가 본 모습이네."

"근데 좀 소름 돋네요… 사람이 어떻게 그리 변할 수 있죠? 하루 만에 바뀐 것도 신기한데, 3초 만에 바뀌는 건 좀…"

"대체… 이 여자 진짜 모습이 뭘까… 확실히 약간 변한 정도가 아니라 그냥 다른 사람이 이 여자 몸 안으로 들어간 느낌이야…"

"음… 뭔가 이중인격자 같네요… 변해도 너무 변해서 슬슬 무서울라 그러네요."

"이중인격자?"

이중인격자라, 이중인격자라는 검사 결과가 나와도 놀라지 않을 정도로 그녀는 완전히 변했다. 진짜 이중인격자인 걸까 아니면 그녀가 연기를 하고 있는걸까… 연기라고 해도 그럴 이유가 없지 않나…

그렇다면 그녀의 정반대의 모습은 어떻게 설명할 수 있을까

"일단 디펜스한테 얘길 해봐야겠어."

"마침 자료실에 들리려 했는데 가는 김에 대신 전달해 드리겠습니다."

"그럼 부탁 좀 하겠네."

이 한 사람만 잡으면 디펜스와 내가 수사하던 큰 진전이 없었던 사건이 해결될지도 모른다. 영상 속에 나와 있는 사람이 CCTV를 향해 웃은 이후 이동하는 방향은 인체 인형 연쇄 살인사건이 일어난 곳이며 끼고 있는 장갑은 분명 지난번 우발적 살인사건 현장에서 발견된 장갑과 같았다. 공통점인 에탄올 냄새 또한 두 사건이 영상 속 한 사람과 연관되어 있는 게 분명하다.

무엇보다 중요한 사실은 이 사건들의 중심에는 데모나 씨가 있다는 것이다.

7월 30일 화요일

"이봐 데모나 씨 말이야. 어제 CCTV 영상에 대해서도 말할 게 있으니까, 아예 이곳으로 부르는 게 좋겠어."

"그럼, 제가 데모나 씨한테 연락하겠습니다."

내가 고개를 끄덕이자 후배는 바로 전화기를 들어 데모나 씨와 연락을 시도했다. 연결음이 끊기지 않는지 아무 말 없이 전화기만 들고 있는 후배가 얼마 안가 곤란한 표정을 지으며 말했다.

"저… 경감님. 데모나 씨 연락을 안 받습니다."

"연락을 안 받는다고? 음… 일단 나중에 한 번 더 해보지. 그때도 안 받는다면 직접 찾아가는 수밖에…"

나는 데모나 씨를 그녀의 집이 아닌 멘프레드 경찰

서, 이곳으로 불러서 대화를 해보려고 한다. 과연 그녀가 이곳에서 나와 세 번째 만남을 가졌을 때, 어떠한 모습으로 나타날까. 사람들이 무서워 피해 다니는 모습일까, 아니면 어제처럼 활짝 웃고있는 모습일까. 만약 그녀가 이중인격자가 맞다면 대체 어느 성향이 그녀의 진짜 모습일까..

"이봐, 데모나 씨 아직도 연락 안 되나?"

"전화기가 꺼져있다고 나옵니다. 계속해도 연락 안 될 것 같은데요…"

"잠깐. 자네 그 여자랑 연락이 안 되고 있나? 자네 후배에게 얘기 들었어."

나에게 말을 건넨 사람은 바로 디펜스였다. 그는 나에게 할 말이 있는 듯 보였다.

"오 디펜스. 자네 왔나 안 그래도 자네가 올 거라고 생각하고 있었어."

"자네 후배 말로는 어제 인체 인형 연쇄 살인사건

현장에 가는 길 도로 CCTV에서 여자가 찍혔다고 하던데… 그것도 엄청 기이하게 말이야…"

"맞아, 그 도로에 수상하게 컵라면 3개가 놓여 있었어. 자네는 들어서 알겠지만 누군가 떨어뜨린 모습과는 거리가 좀 멀어."

"자네는 역시 대단하군. 다른 사람이었다면 그 모습을 봐도 떨어진 걸로 생각해서 그냥 지나갔을 텐데…"

"난 그저 만일의 경우를 생각했을 뿐이야."

이후 나는 후배가 가져온 영상을 디펜스에게도 보여줬다. 아마 디펜스도 이 영상이 가장 궁금했을 것이다. 그러니 말한 다음 날 바로 나에게 찾아온 거겠지.

"이 여자가 그 데모나라는 여자인가? 도중에 왜 멈추는 거지?"

"나도 그게 의문이야. 근데 멈추고 난 이후 고개를 든 순간부터 좀 이상해."

"그러고 보니 여기부터 자네가 말한 그 여자의 모습과는 좀 다르군. 앞부분까지는 매우 위축되어 보이며 그늘진 쪽으로 걸어가려는 것처럼 보이는데, 이후에 고개를 들곤 당당한 걸음걸이로 걷는 게 정말 다른 사람 같아 보여. 특히나 CCTV를 보고서 웃는 게 꺼림직하군."

"이 녀석은 이 여자가 이중인격자 같다더군. 물론 나도 이 말에 동의한 상태네."

나는 후배를 가리키며 말했다.

"이 여자한테서 다른 자아가 있다는 건가? 하긴 3초 사이에 사람이 저렇게까지 바뀐 것을 보면 충분히 가능해 보여."

"이와 관련해서 데모나 씨를 여기로 부를 생각이야. 불러서 확인해 보려고. 그녀에게 진짜 다른 자아가 존재하는지 말이야."

"그래서 이 여자한테 연락하고 있었던 거야?"

"그래. 근데 연락이 안 되네. 오전부터 했는데… 지금은 아예 전화기가 꺼져있어. 그래서 이따 집에 가봐야 할 것 같아."

"그렇군. 그럼 내가 대신 그 여자 집에 가보겠네. 안 그래도 그녀를 직접 만나 보고 싶었거든."

"자네가 직접? 그래 주면 고맙긴 한데…"

"그 여자를 경찰서에 데려오기만 하면 되지 않나."

"그럼, 자네에게 부탁 좀 하겠네."

몇 시간 뒤 디펜스는 경찰서를 나갔다. 아마 그는 데모나 씨 집에 가려는 거겠지. 디펜스는 그녀를 만나는 일을 매우 흥미로워하는 것처럼 보였다.
하지만 이와 다르게 그가 돌아왔을 때는 혼자였다. 그녀를 만나지 못한 건가…?

"이거 미안하게 됐군. 그 여자를 데려오지 못했어."

"데모나 씨가 집에 없었나?"

"잘 모르겠어. 집에 있는지 없는지… 아무리 초인종을 누르고 문을 두드려봐도 반응이 없으니 말이야. 거기다 집 안은 커튼을 다 쳤는지… 뭘 하는지 전혀 볼 수도 없었다네."

"그렇군. 그래도 수고했네… 이거 원 자네만 고생시킨 꼴이 됐어."

"아니네. 아무래도 더 이상 그 여자를 찾기에는 너무 늦은 거 같군."

디펜스는 눈을 찡그리며 한숨을 내쉬었다. 나는 축처진 분위기를 환기시키기 위해 우리가 수사를 해결할 수 있는 가능성이 아직 남아있음을 알려주었다.

"내가 혹시 몰라서 문자를 보내놨네. 그러니 나중엔 확인하겠지. 오늘은 늦었으니 내일 오지 않으면 내가 다시 연락해 보지."

"알겠네. 일단 난 이만 가봐야겠어. 자네도 집에 들어가서 좀 쉬게."

나는 그의 말에 고개를 끄덕였다.

7월 31일 수요일

오늘도 오지 않는 건가… 혹시 모르니 전화를 한 번 해봐야겠군. 그녀가 전화를 받기를 기다리며 나는 전화기를 붙들었다. 그녀에게 가는 수신호음이 경찰서 내에 울려 퍼졌다. 수신호 음을 듣고 있으니 괜히 이곳이 더 조용하게 느껴졌다.

그때 수신호 음의 소리가 멈췄다. 이후 여성의 목소리가 흘러나왔다.

"여…여보세요?"

"아 데모나 씨, 받으셨군요. 저 스티스 경감입니다. 혹시 문자 확인하셨습니까?"

"아… 네… 확인했습니다. 어제 자고 있어서 연락은 못 받았습니다."

"그렇군요. 괜찮습니다. 문자 내용처럼 데모나 씨가

이곳에 와 주셨으면 좋겠습니다. 당신에게 물어볼 것이 있어서요."

"네… 제가 몇 시까지 가면 되나요…?"

"1시까지 와 주실 수 있으십니까?"

"알겠습니다."

그녀의 목소리는 힘이 없어 보였다. 두 번째로 만났을 때의 모습은 온데간데없었다. 이런 모습은 첫날 내가 본 모습이었다. 내가 기억하고 있는 그녀의 모습…

"경감님, 데모나 씨와 연락이 된 겁니까?"

"그래, 이번엔 한 번에 받아서 다행히 말할 수 있었어. 어제 잠에 들어 연락을 못 받았다고 하더군."

"디펜스 경감님이 어제 찾아가서 문도 두드리고 초인종까지 눌렀는데… 잠을 참 깊게도 잤나 봅니다."

"크흠… 일단 이따 오후 1시까지 오라고 했어. 자세

한 건 그때 가서 듣지. 데모나 씨와 대화할 때 옆에 있어 줘야겠어."

"당연히 그래야죠. 제가 옆에서 녹음하고 있겠습니다."

이후 그녀는 내가 말한 1시에 맞춰서 왔다.
그녀를 두 번이나 봐왔지만 그녀에 대해서 많이 알진 못한다. 오늘이야말로 허탕 치지 않을 것이다.

"데모나 씨 오셨군요. 여기로 오시면 됩니다."

나는 그녀를 취조실로 데려갔다. 그녀와 조용히 얘기를 나누려면 이곳이 더 좋겠지. 경찰서에서 본 그녀는 무언가에 매우 지쳐 보였다.
그녀는 이곳에 와서 나에게 아무런 질문을 던지지 않았다. 영문도 모른 채 이곳에 왔음에도 말이다. 왜 나에게 질문을 하지 않을까…? 사람을 무서워하는 심리 때문에 말을 하고 싶어도 못 하는 걸까… 그게 아니면 그냥 안 하는 걸까…

"이곳에 앉으세요."

"경감님, 여기 계셨군요. 어. 데모나 씨도 오셨군요."

"아… 안녕하세요…"

"안그래도 널 부를 생각이었는데 때마침 잘 왔군."

"시간을 보니 1시가 넘어서 급히 경감님을 찾았습니다."

넓은 취조실 안엔 나와 데모나 씨와 방금 마주친 후배, 이 세 명만이 있어 긴장된 공기 속에서 고요함이 더욱 느껴졌다. 데모나 씨는 의자에 앉아 다소 초조한 표정을 지으며 두 손을 모아 쥐고 있었다. 나는 그녀를 향해 최대한 부드러운 목소리로 말을 이었다.

"그렇군. 일단 데모나 씨, 저희가 몇 가지 질문드릴게 있어서 불렀습니다."

"아… 네…"

"먼저, 지난 28일에 저녁거리를 사러 갔었다고 말씀

하셨는데…"

"말했다니요? 제가요…?"

그녀는 내 말을 끊고 물었다. 여기 와서 나에게 건넨 그녀의 첫 질문이었다. 그것보다… 왜 놀라는거지? 그리 놀랄 만한 질문은 아니었는데…

"월요일에 저희 만나서 대화했을 때 그리 말씀하시지 않으셨습니까…?"

"월요일이요…? 제가 월요일에 경찰분들을 만났다고요?"

그녀는 몹시 놀라 보였다. 경찰서에 도착했을 때 그녀는 고개를 계속 숙이고 있었다. 근데 그런 그녀가 월요일에 만났다는 나의 말에 놀라 고개를 들며 물었다.

"예… 기억이 나지 않으십니까? 2일 전에 저희랑 만났었는데…"

"전 기억이 나지 않아요…"

"마지막 기억이 언제입니까?"

"일요일 저녁이요…"

일요일 저녁이면 그녀가 저녁거리를 사러 갔을 때이다. CCTV에 나온 그날. 그게 마지막 기억이라고? 분명 2일 전 월요일에 잘만 얘기했는데…
그때의 기억은 아예 남아 있지 않다니…

"그때 무엇을 하고 계셨습니까? 저희가 듣기엔 저녁거리를 사러 갔다고 들었는데요."

"예… 저녁거리를 사러 나간 건 맞아요… 저녁에 먹을 게 안 남아서…"

"저녁거리로 무엇을 사셨습니까?"

"컵라면 3개를 샀었어요…"

그녀가 지금 말하는 건 도로에 놓여 있던 컵라면, 영상 속에서 봤던 그 컵라면 3개다. 이로써 CCTV 영상에 나온 여자가 데모나 씨인 것이 분명해졌다.

"라면 외에 산 다른 것은 없으십니까?"

"아 장갑을 샀었어요… 밖에 나갈 때 필요한 건데… 언제 잃어버렸는지 영 보이질 않아서… 새 장갑을 샀습니다."

장갑? 그럼 그 장갑이… 이렇게 되면 범인이 그녀일 가능성이 더 높아진다.

"그렇군요… 저희가 월요일에 집에 들어갔을 땐 컵라면은 보이지 않았습니다. 어디 놔두신 거죠?"

"그게… 저도 잘 모르겠어요. 길 가다가 기억을 잃어서…"

"길을 가다가 기억을 잃으셨다고요?"

"네… 집 가는 길에 너무 졸려서… 눈이 저절로 감기더라고요… 눈이 감긴 이후 기억이 없어요…"

"눈을 떴을 때가 언제입니까?"

"어제저녁이요… 일어나서 경찰서에서 온 연락을 본 겁니다…"

"그 안에 있었던 일은 기억이 아예 안 나시는 겁니까?"

"네…"

이게 무슨 말인가… 기억이 없다니. 그것도 길을 가다가 기억을 잃었다니… 난 그녀의 말이 전혀 이해되지 않았다. 진짜 이중인격자라도 되는 건가…

"이봐요, 진지하게 말씀해 주셔야 합니다. 지금 경찰을 상대로 장난을 치시는 겁니까?"

"그게 무슨… 전 사실만 얘기했어요…"

그녀의 말에 후배는 얼굴을 찡그리며 그녀에게 짜증내듯 말했다. 그러자 그녀는 어깨를 움츠리며 고개를 숙였다. 이러면 얻을 수 있는 정보들이 적어질지도 모른다. 숙연해진 분위기에 나는 후배의 눈을 똑바로 쳐다보며 눈치를 주고 그녀가 더 말할 수 있도록 노력했다.

"이봐. 진정해. 왜 이리 흥분하나 일단 끝까지 들어보자고. 괜찮습니다 계속하세요."

"진짜에요… 믿어주세요. 말이 안 된다는 거 알고 있습니다… 하지만… 전 있는 그대로 다 얘기한 거에요…"

그녀는 울먹이며 말했다. 그녀로서는 이 상황이 매우 무섭게 다가왔을 것이다.

"믿습니다, 그러니 진정하세요. 일단 잠시 쉬었다가 다시 얘기합시다. 물 한 잔 드릴 테니 여기서 기다려주세요."

나는 취조실을 나와 그녀에게 줄 물을 뜨러 휴게실로 갔다. 후배는 내 뒤를 따라왔다.
휴게실에 도착해서 종이컵을 빼 물을 받았다. 후배는 미래의 상황을 예측이라도 하듯 내 눈치를 보며 긴장

한 모습을 보였다. 그런 후배에게 나는 아까 전 후배의
태도에 대해 후배를 꾸짖었다.

"자네 아까 뭐한 거야."

"예…?"

후배는 내 말에 놀란 듯 보였다. 하지만 역시 내가
말을 꺼낼 걸 예상한 눈치였다.

"왜 거기서 흥분을 하냔 말이야."

"너무 말이 안 되는 얘기에 저도 모르고 흥분한 거
같습니다. 죄송합니다."

"그 말도 안 되는 얘기가 사실이라면 어쩔 거야. 무
작정 화내지 말란 말이야. 오늘 데모나 씨를 여기로 부
른 건 그녀의 이야기를 들어보려고 한 거란 거 잊은거
야?"

"죄송합니다…"

나는 후배를 뒤로한 채 물을 받은 종이컵을 들고선 데모나 씨가 있는 취조실을 향해 걸어갔다. 빠른 걸음으로 걸어가자, 후배는 역시 내 뒤를 재빨리 따랐다.

"여기 물 한 잔 받아왔습니다. 물 드시면서 목 좀 축이세요."

"어? 또 보네요, 아저씨. 여기가 어딘가 했더니… 여기 경찰서에요?"

"예? 그게 무슨…"

그녀는 내가 물을 받아오는 사이 또 변해있었다.

"뭐 새롭네요… 대화 장소는 취조실. 대화 상대는 경찰. 참 재밌어."

"데모나 씨, 이곳에 온 일 기억 안 나시는 겁니까?"

"하하하하하"

내 질문에 그녀는 웃음으로 답했다. 대체 왜 웃는

거지? 입이 찢어질 듯 웃는 모습을 바라보니 저절로 얼굴이 찌푸려졌다. 나의 표정을 본 그녀는 눈물을 훔치며 웃음을 참는 듯 했다.

"아 죄송해요, 경찰 아저씨. 정말 재밌네요. 근데 똑똑한 분이신 줄 알았는데 그건 아닌가 보네요?"

"그게 무슨 말입니까?"

"단순하게 생각하시라니까… 일부로 집도 비워줬는데…"

"예?"

"기억 안 나는 게 당연하죠."

"당연하다니요… 그게 무슨…"

"전 데모나가 아니니깐요."

난 그녀의 말을 도저히 이해할 수 없었다. 데모나가 아니라니… 이게 대체 무슨 말인가. 내 앞에 있는 그녀는 내가 알고 있는 모습이 맞는데…

"데모나 씨가 아니라뇨…?"

"내 이름은 매드니스에요. 데모나가 아니라고요."

"매드니스…?"

"예. 매드니스. 이제 알겠어요? 난 데모나가 아니에
요."

"그럼, 데모나 씨는 어디 있습니까?"

"데모나? 그 여자는 지금 자고 있어요."

대체 이 여자가 하는 말이 무슨 말인지… 나는 그
녀와 대화하면서 디펜스가 떠올랐다. 디펜스가 이 장면
을 본다면 혹시나 답이 나올 수도 있을 거라고 생각됐
기 때문이다.
이에 나는 급히 후배에게 디펜스를 불러오라는 말을
건넸다.

"이봐. 그가 필요할 거 같아. 지금 디펜스를 불러와 줘."

"예, 알겠습니다. 경감님."

후배는 나의 말에 급하게 취조실을 뛰쳐나갔다.

"경감? 경감님이시구나? 경감님, 제가 저번에도 한 질문 기억나세요?"

"무슨 질문 말입니까."

"지금 무슨 사건 조사 중이냐고요."

"우발적 살인에 대해서 조사 중입니다."

"그거 내가 한 거 아닌데, 난 충동적으로 그런 짓을 벌이진 않아요."

"그건 경찰서에서 알아갈 일입니다."

"당신들은 사건 해결이 너무 오래 걸려. 그래서 내가

답을 줄까 해요."

그녀는 전날과 같은 표정이었다. 웃고 있는 표정.
그 표정은 마치 인체 인형 연쇄 살인사건의 웃고 있
는 인형의 모습을 한 시체와도 같은 표정이었다.

"당신이 데모나가 아니라는 말은 데모나 씨가 이중
인격자라는 말입니까?"

"이중인격자? 하하하 뭐 근접했네요."

"근접했다니… 그럼 매드니스, 당신은 어떤 사람입니
까?"

"나요? 나는 예술가인 22살 남자에요."

"음… 아까 근접했다는 말은 무슨 말입니까?"
"그건 나중에 얘기하고, 우발 뭐 아무튼 그 사건 내
가 한 건 아니란 거만 알아둬요. 대신 누가 했는지는
알고 있지만요."

"누가 했는지 알고 있다니 혹시 범인을 보신 겁니

까?"

내 물음에 그녀가 대답하려 할 때 후배와 디펜스가 취조실에 들어왔다. 그녀는 들어오는 디펜스를 머리부터 발끝까지 훑어보며 미소를 지었다..

"흐음. 다 온 거에요?"

"범인을 보셨는지 물었습니다."

"하하 알았어요. 말해드릴게요. 뭐 본 거라기엔 애매한데…"

"확실히 말씀해 주셔야 합니다."

"디아블로란 남자가 했어요. 그 남자는 앞뒤 가리지 않는 성격이거든요."

"디아블로?"

"이봐 지금 이 마을에 디아블로라는 이름을 가진 남성이 있는지 조사해 봐."

나는 후배에게 디아블로라는 사람에 대해서 조사를 해보라고 했다. 이 마을 안에 디아블로라는 남성이 있던가? 난 분명 이 마을에서 디아블로라는 이름을 가진 사람은 못 들어봤는데…

"그 남자와는 무슨 관계입니까?"

후배와 같이 온 디펜스가 그에게 물었다.

"하하 나랑 그 남자는 서로 모르는 사이에요. 대신 하나죠. 그보다 그 남자 참 멍청하죠? 그런 짓을 누가 그렇게 충동적으로 해요. 나라면 그렇게 안 합니다."

"당신이라면 어떻게 하실 거였습니까?"

"참 재밌는 질문이네요? 근데 전 이미 보여드렸는데."

"보여줬다니요…?"

"디아블로 그 남자가 한 사건보다 한참 먼저 이 세

상에 보여졌는데."

이 세상에 보여졌다는 말은 우발적 살인사건보다 먼저 일어난 사건을 말하는 건가? 먼저 일어난 살인사건은 인체 인형 연쇄 살인사건뿐이다.

그럼, 본인이 인체 인형 연쇄 살인사건의 범인임을 자백하는 건가?

"인체 인형 연쇄 살인사건을 말씀하시는 겁니까?"

"잘 아시네요. 최근에도 보셨죠? 저와 만나기 전에 보셨을 거 같은데."

"인체 인형 연쇄 살인의 범인인 것을 자백하시는 겁니까?"

"뭐… 그렇다고 해두죠."

"대체 왜 그런 짓을 저지른 겁니까?"

"심심하잖아요. 그리고 아까 말했다시피 난 예술가에요. 그럼, 작품을 만들어야죠."

"그 작품에 왜 사람을…"

"다른 작품은 너무 평범해서요. 작품 같지도 않고요. 그래서 저만의 작품을 만들었어요. 너무 아름답지 않나요?"

"갑자기 저한테 얘기하시는 이유가 뭡니까?"

나는 자신이 저지른 범행을 다 내뱉는 그녀를 의심하듯 쳐다봤다. 살인을 한 사람 중 대부분이 감옥에 가는 것을 원치 않는다. 감옥에 가지 않고 더한 살인을 저지르려고 하겠지. 그녀에게 무언가 꿍꿍이가 있을지도…

"지루해졌어요. 처음엔 사람을 죽여 예술 작품을 만들고 그 뒤에 경찰들이 쫓아오는 그 스릴이 좋았거든요? 근데 요즘엔 영 재미가 없어지네요."

사람 몇 명을 죽여놓고 지루하다니… 나는 그녀의 사고방식에 충격을 받았다. 내 앞에 앉아 있는 그녀는 더 이상 멀쩡한 사람이 아닌, 기괴한 사고를 가지고 있는 연쇄살인범이자 잔인하고 악독한 괴물처럼 보였다.

"어떻게 죽인 겁니까."

"어떤 사건을 말씀하시는 건데요? 전 다 다르게 죽여서 어떤 사건을 말씀하시는 건지 잘 모르겠는데요?"

"... 어디서 죽인 겁니까? 사건 현장엔 피 하나 없이 깨끗했습니다."

"아, 제 공간에 남의 피가 묻는 건 좀 더럽잖아요. 마무리는 깨끗이 했죠."

"이봐 저스티스, 아무래도 내가 그 집을 다시 가봐야 겠구만. 이번에는 다른 경찰들까지 같이 말이야. 내가 그 지하실을 보고 오지."

디펜스가 이 말을 하며 취조실을 나갔다.

"경감님, 지하실 가보셨을 때 가져오신 거 없어요?"

"가져온 거요…?"

"경감님이 집에 왔다 간 후로 제가 모으던 수집품이 없어졌는데…"

"수집품…? 설마 그 유리병에 담긴 공을 말하시는 겁니까?"

"공? 아 하하 그걸 공이라고 생각하신 거에요?"

"공이 아닙니까?"

"뭐 이제 다 말한 마당에 숨길 것도 없죠. 애초에 가져가라고 한 거니깐요. 그건 공이 아니라 눈알이에요. 제가 예쁘게 페인트까지 칠해뒀는데, 아예 눈치 못 채셨나 봐요."

공이 아니라 눈알이라니… 사람의 눈알이었다니… 나는 올라오려는 헛구역질을 참아가며 물었다.

"눈알을 왜 모으시는 겁니까?"

"죽은 눈이 너무 매력적이어서요."

매력적? 이 사람은 살인을 예술이라 믿고 사람의 죽어있는 모습과 그 눈이 매력적이라고 느끼는 사람이다. 나는 이 사람과 대화를 나눌수록 이 사람에 대한 거부감이 올라왔다.

"그럼 눈알에 페인트칠은 왜 하신 겁니까?"

"음… 질려서라고 해두죠. 죽은 지 얼마 안 됐을 땐 너무 매력적인데… 시간이 흐르니 지겹잖아요. 그리고 눈알에 페인트를 칠하다니… 너무 새롭죠?"

이 사람은 사람의 눈알에 페인트 칠을 한 것 또한 자신의 작품이라고 생각하고 있다. 오래 본 건 지겹고, 항상 새로운 예술을 갈망하는 연쇄살인범이라니…

그와 얘기를 나누고 있을 때, 후배가 나에게 급하게 뛰어온 건지 숨을 거칠게 헐떡이더니 이후 숨을 깊게 고르곤 말했다.

"경감님, 이 마을에서 디아블로라는 남성은 없습니다."

"하하하하하 당연한 말을…"

후배의 말이 끝나자, 그는 큰 소리로 웃었다. 취조실 안은 그녀 아니… 그의 웃음소리로 가득했다. 그는 이 모든 사실을 다 꿰뚫고 있어 보였다. 그런 그에게 우리 모습은 그저 비웃음거리밖에 안 되겠지.

살인이 지루해지던 그에겐 오히려 이런 상황이 매우 흥미롭게 느껴질 것이다.

"디아블로 그 남자가 누군지 말해줄까요? 아까 경감님이 물어보셨죠? 이중인격자에 대해서 뭐가 근접하냐고."

나는 그의 말에 아무런 반응을 하지 않았다. 나뿐만이 아니었다. 그를 제외한 모두가 조용히 그의 말을 들을 뿐이었다.

"그 또한 또 다른 자아에요. 나와는 하는 짓이 참 다른 성격을 가졌죠. 나이는… 37살로 알고 있어요."

"… 일단 알겠습니다. 그래도 당신은 인체 인형 연쇄 살인사건의 범인이기 때문에 잠시 여기 있어주셔야 겠습니다."

"뭐 그러세요. 근데 수갑까지? 너무 정 없다."

나는 그에게 수갑을 채우곤 그만 남긴 채 취조실을 나왔다. 데모나 씨 포함 남자 2명의 자아…
그럼 그녀는 이중인격자가 아닌 해리성 정체감 장애, 즉 다중인격자인 것이다. 남들은 그녀가 연기를 하고 있을 거라고 생각 할 수도 있다.
허나 그녀의 옆집에 사는 사람보다도 그녀와 대화를 많이 해 본 나는 그녀가 연기를 하는 거 같다고 느껴지진 않았다.

"저 여자, 방금 자백한 거죠? 연쇄살인범… 근데… 또 다른 자아는 무슨 소리에요?"

"정확히 말하자면 자백한 건 데모나 씨가 아니야. 매드니스란 남자지. 아무래도 데모나 씨, 해리성 정체감 장애인 거 같아."

"해리성 정체감 장애라면… 다중인격을 말씀하시는 겁니까?"

"그래. 매드니스, 디아블로… 그들도 그 속에 있는, 데모나 씨와는 아예 분리된 자아라는 거야."

"그래… 그러고보니 이제야 CCTV 영상이 이해가 되는군. 그녀가 갑자기 변한 이유…"

아무래도 영상에서 그렇게 변하고 나서 범행을 저지른 거겠지. 이러면 모든 상황이 다 맞아간다. 인체 인형 연쇄 살인사건은 해결한 거야…

하지만 아직 끝나진 않았다. 우발적 살인사건이 남았기 때문이다. 물론 그 사건의 범인은 알아냈지만, 왜 그랬는지는 알 수가 없었기 때문에 이를 알아내야 한다. 또한 매드니스란 남성이 디아블로를 범인으로 지목했다 해도 완전한 증거는 없다. 나는 이해했지만 다른 사람들은 이해를 못 할 것이기에 확실한 증거를 찾아야한다.

"이봐, 이게 뭐야. 이거 풀어!"

취조실 안에서 무슨 소리가 들렸다. 그 소리는 매우 거칠고, 짜증 섞인 목소리였다. 데모나도, 매드니스도 아니었다. 그럼 남은 사람은 디아블로. 그 사람 뿐이었다.

"경감님, 이 소리 취조실에서 나는 거 같은데요…?"

"그래, 디아블로 씨가 나온 거 같군."

나와 후배는 급히 취조실 쪽으로 달려갔다.

"이거 풀어! 풀라고!"

"일단 진정하세요. 혹시 디아블로 씨입니까?"

"네가 내 이름을 어떻게 알아. 당신 뭐야."

"전 저스티스 경감입니다. 디아블로 씨께 몇 가지 좀 물어보겠습니다."

나는 문을 사이에 두곤 그와 얘기를 이어갔다. 문이 당장이라도 부서질 듯 흔들리자 나는 반사적으로 뒤로 한 걸음 물러섰다.

"뭘 경감? 내가 왜 여기 있는 거냐고! 당장 안 풀어?"

"디아블로 씨 혹시 지난 26일, 새벽에 상가 주변을 지나가신 적 있으십니까?"

"그게 언젠지 어떻게 알아!"

"최근 상가 주변에 가신 기억은 있으신 겁니까?"

"그래, 근데 그게 왜 궁금한 거지? 귀찮게…"

"혹시 그때 무슨 일이 있었는지 기억하십니까?"

"그래. 그때만 생각하면 짜증 난다고."

"그때 무슨 일이 있었습니까?"

"길 가다가 뭔 미친놈이 시비를 걸었어."

"시비를 걸었다고요?"

"그 미친놈이 길가는 내 어깨를 쳤어. 그것도 짜증나 죽겠는데 나한테 욕까지 했다고."

"그래서 그 남자를 어떻게 했습니까…?"

"죽여버렸어. 그 미친놈이 살아있는게 열받잖아? 그놈 뒤통수를 보는 데 참을 수가 없었다고."

"그 남자를 어떻게 죽였습니까?"

"그냥 주변에 있는 돌 집어서 그 놈 뒤통수를 쳤어. 그랬더니 바로 쓰러지더군."

"그 이후엔 어떻게 했습니까?"

"내가 그놈을 뭘 어떻게 했어야 했나? 난 그 녀석을 죽이고 싶었고, 그래서 죽였고. 그럼 된 거 아냐?"

"그럼, 이후엔 그냥 집에 가신 겁니까…?"

"당연하지. 그 놈 뒤처리까진 너무 귀찮다고."

내가 본 디아블로 씨는 매우 난폭해 보였다. 그가 문을 부수지 않고 내 물음에 순순히 답해준 것이 매우 다행스럽게 느껴졌다.

그는 나와의 대화에서 그때의 상황이 생각난 것인지 문을 치며 온몸으로 자신이 짜증이 났다는 사실을 드러냈다. 매드니스 씨가 말한 것처럼 그가 직접 말한 살인을 저지르게 된 상황에서 계획적인 모습은 전혀 보이지 않았다. 단순히 시비에 의한 충동적인 모습. 그대로였다.

이로써 실마리는 다 풀렸다. 모든 게 다 풀렸어.

그럼 데모나 씨는…

5부

"뭐지..? 그새 또 잠들었던 건가?"

내가 눈을 떴을 땐 주변에 아무도 없었다. 경찰분들
은 어디 계신 건지…

"잠깐 이게 대체 무슨 상황인 거야…"

나의 두 손목엔 수갑이 채워져 있었다. 내가 무슨 잘
못을 했길래… 내가 왜 수갑을 차고 있는 거야… 나는
급격히 두려워졌다. 심장은 얼마나 빨리 뛰는지… 숨도
제대로 쉬어지지 않았다.

"저… 저기 아무도 없어요…?"

나는 문 앞에 다가가 처음으로 먼저 말을 걸었다. 내 말이 끝나자, 누군가 이쪽으로 오는 소리가 들렸다. 발걸음 소리는 점점 커져 왔고 발걸음 소리가 멈춰졌을 때 문이 열렸다. 문이 열리고 보인 얼굴은 아까 나와 대화를 나눈 경찰분이었다.

"데모나 씨? 괜찮으십니까…?"

"내가 왜 수갑을 차고 있는 거예요…?"

"제가 다 설명해 드리겠습니다."

경찰은 나를 진정시키곤 자리에 앉혔다. 그러곤 침착하게 설명을 이었다. 내가 그한테서 들은 말은 매우 충격적이었다.

"잠깐, …뭐라고요?"

"놀라신 거 압니다. 일단 진정하시고…"

"그니까…제가 해리… 뭐라고요…?"

"해리성 정체감 장애. 다중인격입니다."

"그게 말이 안 되잖아요 제가 다중인격이라니요…"

"전에 중간중간 기억이 안 나거나 한 일은 없었나요?"

경찰의 말을 듣고 나니 생각났다. 내가 그동안 어떻게 지냈는지. 최근, 일요일에도 그랬었다. 저녁거리를 사고 돌아오는 길 이후로 기억이 없다. 아무리 그래도… 경찰의 말을 믿어야 하는 걸까?

"데모나 씨 괜찮으십니까…?"

"… 중간중간에 기억을 잃을 때가 있긴 했지만, 그건 제가 깊게 잠들어서 그런 거에요…"

"일요일 저녁, 기억이 사라지셨었죠?"

내가 일요일 저녁에 기억을 잃었다는 건 어떻게 아는 거지…? 내가 오늘 경찰과 통화했을 때는 그냥 잠들었다고만 했던 거 같은데…

"그걸… 어떻게 아세요…? 전 말씀드린 적 없는 걸로 아는데…"

"아. 잠깐 이 영상 좀 보시겠습니까?"

경찰은 나에게 노트북을 들고 와 한 영상을 보여줬다. 그 영상 속엔 내가 있었다.

"내가 왜…"

영상에 나온 거리는 집으로 가는 길로 보였다. 손에 장바구니를 들고 있는 것으로 보아 아마 일요일 저녁에 집에 가는 그때로 보였다. 경찰이 보여준 영상 속 내 모습은 내가 아니었다. 내가 기억하는 부분까진 분명 내가 맞는데… 고개를 든 순간부터는 내가 기억하는 부분은 아니었다. 집 안에서 보이지 않던 컵라면을 길바닥에 놓고는 샀던 장갑을 내 손에 끼는 것이 아닌가… 그러곤 서서 CCTV를 향해 소름끼치는 웃음을 보였다.

내가 저랬다고…?

"혼란하실 거 압니다. 아마 데모나 씨는 영상 앞부분만 기억하실 겁니다."

"난 저런 적 없어요… 나는…"

"압니다. 후반부에는 데모나 씨가 아니에요. 데모나 씨 안에 있는 또 다른 자아의 모습입니다."

"말도 안 돼…"

"데모나 씨가 깨기 전 저흰 이미 데모나 씨 안에 있는 또 다른 인격들과 대화를 나누었습니다."

"내 안에 또 다른 인격이라니… 상식적으로 어떻게 그런 일이 생겨요…"

"흔치 않지만, 가끔 인격이 여러 개인 사람이 있습니다. 데모나 씨처럼요."

그게 왜 나인 걸까… 부정하고 싶어도 이미 증거 영상이 있는데 어떻게 부정할 수 있을까… 인격이 여러 개라는 것도 충격인데… 내 안에 있는 인격들이 살인자라니 대체 왜 나한테…

"혹시 과거에 잊고 싶은 기억이 있습니까? 어릴 적에 출격을 받았다거나 지워버리고 싶은 기억 말입니다."

"지워버리고 싶은 기억…?"

그래. 생각났다. 과거에 무슨 일이 있었는지… 현재 나의 부모는 친부모가 아닌 양부모다. 뭐… 그래봤자 나랑은 연 끊긴 사람들이지만….

내 친부모가 어디 있냐고 물으면 나도 모른다. 아비란 사람은 살인자에 어미는 그 살인자한테 죽었으니까. 그 장면을 내 눈으로 본 게 최악이었지. 그 이후부터 내가 점점 이상해진 거 같기도… 그때부터 내가 기억도 잃고 했던 거 같아…

"과거에 그런 기억이 있다면 그 기억이 다중인격이 된 원인이 될 수 있습니다. 보통 그런 일로 다중인격이 되는 일이 다반수입니다."

"… 그래서 전 어떻게 되는데요?"

"…그게 일단 절차대로 재판은 보게 되실 겁니다."

"살인죄로 감옥에 가나요…?"

"아직 확정된 건 아닙니다. 살인은 당신이 아닌 다른 인격이 한 것이니 결과가 좋게 나올 수도 있습니다."

"재판은 언제 보는데요…?"

"그건… 아직 정해지지 않았습니다."

8월 3일 토요일

이 일이 있고 난 후 며칠 뒤 다행스럽게도 내 일에 관심을 보인 한 변호사가 나에게 찾아왔다. 이제 내가 할 일은 그 변호사만 믿는 것뿐이다.

"안녕하세요. 데모나 씨 당신의 사건을 맡은 변호사 데이비드라고 합니다."

"아… 안녕하세요. 제 일에 관심이 갔다고요…?"

"예. 당신의 이야기를 들어봤는데 매우 흥미롭더군요. 다중인격이라면서요?"

"아니길 바라지만… 부정할 순 없을 거 같네요…"

"그렇군요. 제가 경찰서에 가서 증거 영상을 받아왔습니다. 이 영상이 재판장에서 유리하게 돌아갈 거라 생각합니다."

"그렇군요…"

"너무 걱정마세요. 당신이 다중인격자인 것이 맞다면 당신의 살해 혐의는 벗을 수 있습니다."

"네…"

"제가 몇 가지 질문을 드리겠습니다. 전에 정신 치료를 받으신 적이 있습니까?"

"어릴 적에 받았던 기억은 있어요…"

"그렇군요. 그 병원 이름 기억하십니까?"

"잘은 모르겠지만⋯ PS병원이었던 거 같아요⋯"

"병원에서 과거 진료기록이 있다면 그것 또한 증거가 될 수 있겠군요."

"사람들은 믿지 않을 거예요⋯."

"왜 그렇게 생각하십니까?"

"이 마을에서 저는 그저 길거리에 있는 쓰레기통과 같은 존재에요⋯ 그런 제가 이 마을에서 일어나는 두 살인사건을 일으킨 범인이라 지목되면⋯ 사람들은 저를 마을에서 쫓아내고 싶어 하겠죠⋯ 물론 이 사건이 일어나지 않아도요. 저를 마을에서 쫓아내는 방법은 제가 감옥으로 가는 거라 생각할 테니까요⋯"

"그렇게 생각하지 마세요. 당신은 무죄를 입증해야 합니다. 이 살인사건은 당신이 한 짓이 아니잖아요. 정신 상담을 다시 받아보죠. 그거에 대한 진료기록이라면 당신이 다중인격자란 사실을 받아드릴 수밖에 없을 것입니다."

"과연 믿을까요…"

"걱정되십니까? 그럼 더 확실하게 합시다. 재판에 당신의 정신 상담을 진행한 상담전문가를 증인으로 부르겠습니다."

나는 변호사의 말에 조금이나마 안정이 되었다. 하지만 한편으로는 불안했다. 이 모든 상황이 너무 갑작스럽고…

내가 이 잠깐의 안정을 취해도 되는 건지 잘 모르겠다. 분명 내가 한 짓은 아닌데… 내가 재판을 받고, 나의 무죄를 입증해야 한다.

8월 5일 월요일

"여기가 맞나…?"

나는 변호사와 같이 병원에 들렀다. 변호사는 불안해하는 내 옆에서 나를 안정시키기 바빴다. 내가 원치 않다 해도 변호사의 말을 따를 수밖에 없다. 이를 거절한다면 내 무죄를 입증하기엔 늦을 수 있을 것이다.

"아 데모나 씨입니까? 난 원장 에밀리라고 해요."
"아… 예…"

"오늘 제가 묻는 질문에 맘 편히 답해주시면 됩니다. 전혀 부담 갖지 않으셔도 돼요."

"아… 알겠습니다."

"당신은 지금 해리성 정체감 장애라고 들었습니다. 한 문죠. 당신의 과거가 궁금합니다. 어릴 적 당신은 어떤 사람이었습니까?"

"…전 어릴 때도 지금처럼 소심하고 존재감이 크지 않은 아이였어요."

"그렇군요… 당신은 왜 당신한테서 다른 인격이 존재하게 되었다고 생각하십니까?"

"글쎄요… 경찰분들의 말로는 다중인격이 과거의 충

격으로 생긴다고 했습니다. 그런 점을 보면 어릴 적 저의 어머니가 돌아가신 걸 본 충격으로 생긴 게 아닐까 싶네요..."

"어머니가 돌아가신 걸 직접 보셨다고요… 어머니는 어떻게 돌아가셨습니까? 말하시기 곤란하시면 안 하셔도 됩니다."

말하기 곤란하면 안 해도 된다라… 지금 내 상황보다 곤란한 것이 존재할까…

"저희 어머니는 살해당하셨어요… 저희 아버지한테서요…"

"그렇군요… 아버지는 현재 어디 계십니까?"

"저도 잘 모르겠네요… 죽었는지 살았는지…"

"정확히 기억을 잃었던 적은 언제입니까?"

"그쯤이었던 거 같아요… 어머니의 마지막을 봤던 그날 이후부터요…"

"데모나 씨 안에 있는 다른 인격들은 매드니스란 남성과 디아블로란 남성이 있습니다. 혹시 떠오르는 것이 있습니까?"

"매드니스와 디아블로…?"

나는 내 안에 있는 인격들의 이름을 듣고선 놀랄 수밖에 없었다. 매드니스… 디아블로… 내가 기억을 잃을 땐 난 항상 어떤 꿈을 꾸었었다. 그 꿈에 나왔던 이름이 매드니스와 디아블로였다.

물론 이 이름들이 동시에 나오진 않았다. 어느 꿈엔 매드니스, 어느 꿈엔 디아블로… 근데 이게 그럼… 꿈이 아니었던 말인가…

"제 꿈에 나왔던 이름들이에요…"

"꿈이요?"

"제가 기억을 잃을 때마다 꾸던 꿈… 전 제가 기억을 잃은 것이 아니라 그냥 잠에 들었다고 생각했어요…"

"그렇군요. 이 정도면 될 거 같습니다. 재판 때 결과지를 들고 가겠습니다. 너무 걱정하지 마세요. 데모나 씨."

"예…"

내 답에 이어 변호사가 말했다.

8월 9일 금요일

오늘은 재판 날이다. 나의 죄를 심판하는 날. 내가 나의 무죄를 입증해야 하는 날… 내 미래는 오늘로 나뉘겠지…

난 매일을 집에서 보냈는데 왜 이곳에 있는 걸까… 나는 법원으로 들어와 피고인 대기실로 들어갔다.

새하얀 벽에 의자 하나… 몇 분 후 나는 죄를 판단하는 심판대에 서 있겠지…

"데모나 씨. 이제 재판 시작합니다. 저를 따라오세요."

나는 말없이 그의 등만 보며 발걸음을 이었다. 내가

재판장에 들어왔을 땐 몇몇 사람들이 앉아 있었다. 그들은 피해자의 유가족과 나를 쫓아내고 싶거나 내 꼴을 구경하러 온 마을 사람들일 것이다.

"재판을 시작하겠습니다. 먼저 피고인은 디나이얼 주 마을에서 발생하는 인체인형 연쇄 살인사건과 추가로 우발적 살인사건을 저지른 살인 혐의를 갖고 있습니다."

"....."

"피고인 인정하십니까?"

"....."

"피고인. 이에 답하세요."

"잘 모르겠습니다…"

"잘 모르겠다는 말은 인정하지 않겠단 말씀입니까?"

"존경하는 판사님. 피고인이 범죄를 저지른 것은 사

실입니다. 하지만 이는 피고인도 자각하지 못하고 있었습니다."

"그게 무슨 말입니까. 저지르고 자각하지 못하다니. 음주를 했단 말입니까?"

"아닙니다. 피고인은 해리성 정체감 장애입니다."

"피고인에게 다른 인격이 존재한단 말입니까?"

"그렇습니다. 어릴 적의 충격으로 어릴 적에 다른 인격들이 생겨 지금까지 다중인격으로 지내왔습니다."

"잠깐. 재판장님 피고인은 해리성 정체감 장애가 아닙니다. 그저 연기를 하고 있는 것입니다."

변호사의 말이 끝나자, 검사가 이어 말했다. 나는 분명 검사의 얼굴을 처음 본다. 하지만 저 자는 나를 벼랑 끝으로 내몰고 있다. 나를 유죄로 만들기 위해 최선을 다하겠지.

"검사. 피고인이 연기를 하고 있다고 생각되는 근거

가 무엇입니까?"

"이에 대한 근거를 답해드리기 위해 증인 신청을 요청드립니다."

내가 다중인격자가 아니라고 증인할 사람이 누구일까…

"인정합니다. 증인을 증인석으로 부르세요."

판사의 말이 끝나자 한 노부부가 걸어 나왔다. 나는 그들을 보곤 할 말을 잃었다. 대체 저 사람들이 왜 저기 있는 거지…?
그들은 나의 양부모였다. 연을 끊고 살아 어디 있는지도 몰랐는데… 이렇게 만나다니…

"증인. 피고인과는 무슨 관계입니까?" "저희는… 데모나의 양부모입니다…"

"피고인이 다중인격자가 아니라고 생각하는 이유가 무엇입니까?"

"데모나는 저희가 어릴 적에 입양해서 다 클 때까지 키웠습니다. 그리고 저희가 데려왔을 때부터 정신이 이상해 보였습니다. 근데 어릴 적엔 아무런 사건이 일어나지 않았잖아요…"

"피고인의 어릴 적은 어떤 모습 이었습니까?"

"데모나는 어릴 적부터 소심하고 사회성이 떨어졌던 아이입니다. 또 자주 깜빡하고 말도 잘 못해서 문제가 있어 보였죠…"

"어릴 적엔 폭력성을 드러내진 않았단 말인가요?"

"드러낼 것도 없어요. 어릴 적엔 폭력적인 아이는 아니었습니다. 그저 저희가 연을 끊고 돈을 보내주지 않으니 저런 폭력성이 나타나는 거겠죠…"

왜 저들은 나의 불리한 입장에서 말하면서도 나의 눈치를 보는 걸까…

"판사님. 증인의 말처럼 피고인은 어릴 적과는 다른 모습을 띠고 있습니다. 피고인이 저지른 사건들을 보면 폭력성과 잔인함이 드러나는 사건입니다."

"계속하세요."

검사는 고개를 끄덕이며 말을 이어 붙였다.

"피고인이 어릴 적부터 다중인격이었다면 어릴 적 또한 폭력성이 드러나야 한다고 생각합니다. 그러므로 현재 피고인은 해리성 정체감 장애가 아닌 그런 척 연기를 하고 있는 것 입니다."

"그렇군요. 일리가 있습니다."

"판사님 변호하겠습니다."

"하세요."

"인격이 생겼다 하여 처음부터 두드러지게 나타나진 않았을 것입니다. 또한 저들은 피고인이 사회에 나가기 전, 연을 끊고 오랫동안 보지 않았던 자들입니다. 마지막으로 살인사건 발생 수는 총 11건. 하지만 이는 두 가지로 분류할 수 있습니다."

"어떻게 말입니까?"

"인체인형 연쇄 살인사건과 우발적 살인사건으로 말입니다. 인체인형 연쇄 살인사건은 매우 계획적이고 잔인성이 두드러지는 사건입니다. 하지만 우발적 살인사건은 말 그대로 충동적으로 벌인 사건입니다."

"계속하세요."

"한 사람이 범행을 저지르는데 어떻게 이렇게나 다른 수법을 사용하여 범행을 저지를 수 있겠습니까?"

"잠시만요. 재판장님? 범인이 수법을 바꾸는 데엔 앞의 주장과는 아무런 관련이 없습니다. 범인이 맘을 바꿀 수 있는 거 아닙니까? 이건 단순히 계획적으로 저질렀다가 나중엔 충동적으로 저지르고 싶은 범인의 변심일 뿐입니다."

"아뇨. 그렇다면 피고인이 우발적 살인 뒤에 또다시 충동적으로 범행을 저질렀어야 합니다. 하지만 우발적 살인사건이 일어난 후에 발생한 사건은 인체인형 연쇄 살인사건의 마지막 사건입니다."

"...."

검사는 변호사의 말에 반박할 말을 찾지 못한 듯 좀처럼 쉽게 입을 열지 않았다.

"판사님 증거 영상 제출하겠습니다."

변호사가 제출한 영상은 경찰서에서 본 길거리 CCTV 영상이었다.

"본 영상에서는 데모나 씨의 인격이 바뀌는 모습이 담겨있습니다. 피고인이 길을 가다 멈추곤 고개를 든 후가 피고인의 또 다른 인격의 모습입니다."

"하지만 이 영상으로는 증거가 부족합니다."

"판사님. 경찰서에서 받은 녹음본을 증거로 제출하겠습니다."

녹음본? 경찰서에서 녹음을 해두었던 게 있었던

가…? 판사가 녹음본을 틀자 나는 바로 이해할 수 있었다. 녹음기에선 나의 또 다른 인격 매드니스와 디아블로의 자백이 담겨있었다.

"판사님? 이 자료는 근거가 될 수 없습니다. 이는 연기로도 충분히 할 수 있습니다."

"그래요? 그럼 또 다른 증거를 제출하겠습니다."

"무슨 증거입니까?"

"증인 신청을 요청드립니다."

"인정합니다."

변호사가 부른 증인. 아마 그 사람은 며칠 전 정신검사를 맡았던 원장일 것이다. 아직은 변호사가 말한 대로 흘러가고 있다. 연상, 녹음본, 증인까지 다 증거로 제출했으니 저기서도 반박하지 못하는 모양이다.

하지만 왜 저기 앉은 사람들은 원망과 증오가 가득 담긴 눈으로 나를 쳐다보는 걸까… 고개를 들 수가 없다.

"증인. 며칠 전 증인께 피고인의 정신 상담을 요청드렸었습니다. 그리하여 지난 5일 월요일에 피고인의 정신 상담을 진행한 적이 있고요. 기억하십니까?"

"기억합니다."

"그때의 결과가 어떻게 나왔습니까?"

"데모나 씨는 해리성 정체감 장애가 맞습니다. 데모나 씨는 어릴 적 폭력적인 아버지에 의해 살해당한 어머니의 모습을 직접 보면 강한 충격을 받았을 것입니다. 그 강한 충격이 또 다른 인격을 생성하기에 충분한 근거가 됩니다."

"판사님. 증인의 말처럼 피고인은 어릴 적 강한 충격을 받고 그에 의해서 또 다른 인격을 만들어낸 것입니다. 인격의 이름은 녹음본에서 나왔다시피 매드니스와 디아블로한 두 남성입니다."

"잠깐. 판사님…"

"그만. 변호인 계속하세요."

"판사님 이 두 인격은 다른 점이 있습니다. 한 인격은 계획적이고 잔인하며 이를 즐기는 성향을 보입니다. 하지만 또 다른 인격은 굉장히 충동적이고 폭력적인 성향을 볼 수 있습니다. 이에 있어 앞에 언급된 두 사건 또한 이러한 차이점을 보입니다. "

"변호인의 말은 한 인격은 연쇄살인을, 다른 인격은 우발적 살인을 각각 담당하여 범행을 저질렀다는 녹음본이 사실이란 말입니까?"

"그렇습니다. 이러한 인격들의 모습은 피고인 친부의 성향이 담겨있습니다. 이로써 범행은 피고인이 아닌 피고인 안에 또 다른 인격들이 저지른 것입니다."

"... 인정합니다. 판결을 내리겠습니다."

판사의 판결이 시작됐다. 난 저들의 눈초리 안에서 판사의 말을 가만히 듣고 있을 뿐. 할 수 있는 일은 없었다. 판사의 판결이 나의 무죄를 가리키면 나는 좀 나아질까…

"피고인은 살인이라는 중죄를 갖고 이 자리에 섰습니다. 하지만 피고인 측에서 제출한 증거 자료들로 보아 피고인에게는 또 다른 인격들이 존재한다는 것을 파악할 수 있으며, 그러한 인격들에게 폭력성과 잔인성이 두드러지는 바 사건 발생 과정에서 피고인의 혐의는 무죄로 판결한다."

"......"

"하지만 피고인은 '제 2조의 3. 치료 명령대상자에 형법 제 10조 제 2항에 따라 형을 감경할 수 있는 심신장애인으로서 금고 이상의 형에 해당하는 죄는 지은 자'에 해당하며 피고인은 현재 심적으로 불안한 상태에 놓인 것으로 보이기에 피고인을 치료 명령 7년에 선고한다."

나는 결국 무죄 판결을 받았다. 하지만 왜 허전한 걸까…. 모든 게 다 끝났는데 말이다…. 물론 일은 잘 끝났다. 그렇지만 난 기쁘지 않다. 내 혐의가 무죄로 판결 났음에도 저 사람들은 나를 벌레 보듯 쳐다볼 뿐이었다.

또한 유가족들의 마음도 나아지진 않았을 것이다. 내가 한 것이 아니지만 그분들의 눈엔 다른 인격이나 나나 다를 바가 없어 보이기 때문이다. 나는 이제 어떤 삶을 살아야 할까⋯ 여기만 해도 사람들의 증오가 가득한데⋯ 밖에 나가면 나는 얼마나 많은 증오의 눈초리를 견뎌야 하는 걸까⋯ 숨이 막혀온다.

8월 14일 수요일

평소와 같이 차를 끌고 경찰서로 가는 도중 길가에 피여진 꽃들을 보고 오늘 꾼 꿈이 기억났다. 그 꿈은 검고 어두운 배경에 나 홀로 서있었는데 주변을 둘러보니 붉은 꽃들이 활짝 피어 있었다. 그 꽃들 쪽으로 걸어가니 그 꽃들 중심에 꽃 한송이가 눈에 띄었다.

그 꽃은 바로 새하얀 국화였다. 다른 꽃들은 죄다 붉은색을 띠었는데 오직 그 한송이만 하얀색을 띠고 있었다. 그 국화는 다른 꽃들처럼 활짝 피어있었다.

나는 그 꽃을 자세히 보기위해 가까이 다가가려 걸음을 옮겼다. 그 꽃에 가까워지려는 순간 하얀 국화가 빼짝 마른 채 시들며 검은색으로 변했다. 아까의 모습은 전혀 볼 수 없이 잎도 다 떨어지고 오직 아래만을 바라보았다.

그 꽃은 이제 전혀 희망이 남지 않은 듯 보였다.

다른 꽃들은 아까와 그대로 활짝 피었는데 왜 하얀 국화만 시든 것일까…

왜… 하얀 국화는 시든 후 검은 국화로 변한 걸까…

나는 괜한 찝찝함을 져버리고 경찰서로 향했다.

"오셨습니까 경감님, 아 참 그 데모나라는 여자 말이에요. 무죄판결 났다고 합니다."

"…그렇군. 이제 다 끝난 거야. 그 여자는 지금 뭘 하고 있지?"

"심리치료를 받는 중입니다. 무죄 판결 이후 심리치료를 받으라는 말이 나왔다네요."

"알겠네, 심리치료가 잘 됐으면 좋겠군."

역시 그녀는 사건의 중심이 맞았다. 디펜스가 그녀의 지하실에서 숨겨져 있던 다량의 혈흔을 찾아냈다고 한다. 하지만 그 결과가 나왔을 땐 데모나 씨는 이미 모든 것을 받아들이고 있겠지.

이제 모든 일이 다 끝에 다다랐다. 지난 며칠 동안 그 여자 생각만 했던 거 같다. 하지만 이제 다 끝났다고 생각하니… 어딘가 허전했다.

이 시간이 이렇게 여유로웠나…?

"...저 경감님. 방금 온 건데요. 경감님께 온 편지입니다."

"편지? 나한테? 누가 보낸 거지…?"

"데모나라고 적혀 있네요… 그 여자가 보낸 듯합니다."

"데모나 씨가?"

나는 하얀 바탕에 국화가 그려져 있는 편지봉투 속의 한 장의 편지지를 꺼내 읽었다.

- 저스티스 경감님께 -

안녕하세요. 저스티스 경감님.
저와 많이 만나셨던 걸로 아는데 정작 전 경감님의
이름을 모르고 있었네요.
이 순간 경감님이 생각났습니다. 저 때문에 많이
힘드셨을거라 생각합니다. 죄송합니다.
제 안에 다른 인격이 저지른 일이라 한들 다른 분들
의 눈엔 저나 그 인격들이나 다 똑같을 거라 생각하기
에 그분들께도 죄송스럽다는 말을 전하고 싶습니다. 제
가 그분들을 위해 할 수 있는 일이 이것밖엔 없는 것
같습니다.

저스티스 경감님, 전 이제 좀 쉬려고 합니다. 물론 전
지금 치료 잘 받고 있어요. 하지만 치료를 다 받고 난
후의 미래가 보이지 않더군요. 오늘이 지나면 모든 게
다 평온해질 거라 믿습니다. 그동안 모든 분들에게 죄
송하다고 말씀드리고 싶습니다.

- 하얀 국화 드림 -